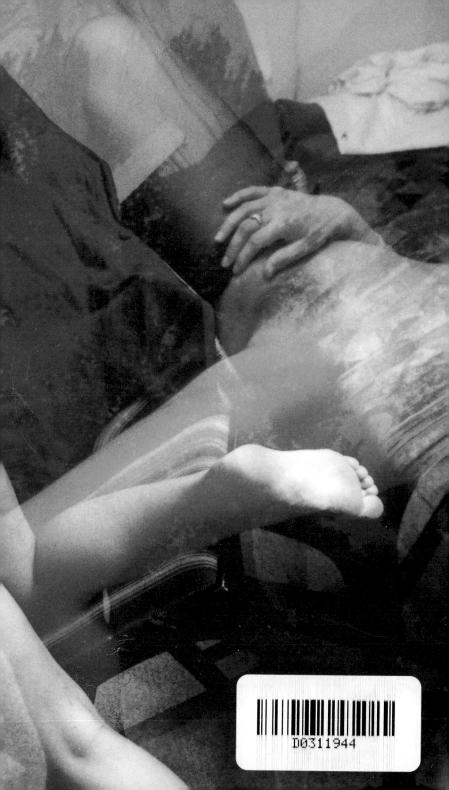

*Harald Körke*     DAS BETT

*Harald Körke*

# DAS BETT
*ROMAN*

Konkursbuch Verlag
Claudia Gehrke

Mein Dank geht an Anna,
die die Last der Korrektur
und die Lust der Lektüre
auf sich genommen hat.

1

*DIE EINREISE.*

Die Frau neben ihm atmet leise, und mit jedem Heben und Senken ihrer Brust unter dem dünnen Laken kommt ein kleiner Schwall ihrer Wärme zu ihm hinüber, fächelt an seinem Gesicht vorbei und füllt seine Nase mit schlaftrunkenem Duft. Mit dem Duft, der dann am Tag vergangen sein wird, unauffindbar hinter Seife und Parfum, hinter Creme und Kleid, hinter Lippensalbe und Haarfestiger. Hinter leeren, wehrenden Gesten und Worten.

Der Duft der Frau macht ihn traurig. Er ist traurig, dass sie gelernt hat, ihn vor ihm zu verstecken. Er ist traurig, dass sie so nett geworden sind, so nett zueinander. Es macht ihn verrückt.

Es ist noch dunkel. Finster fast. Aber es ist ein Hauch in der Finsternis, der den Beginn des neuen Tages verspricht. Bogdan spürt, dass die Nacht bald Abschied nehmen wird, er braucht dafür nicht auf seine Uhr zu schauen, nicht zu versuchen, die phosphorgrünen Zahlen zu entziffern, er ahnt es an der Veränderung der Dunkelheit, an den Nuancen zwischen schwarz und schwarzgrau, an den Nuancen, die in der lichtlosen Einsamkeit die Ankunft des Tages begleiten.

Er spürt den Übergang, den fast unmerklichen Wechsel, der ihn an Hibiskusblüten denken lässt, an Hibiskusblüten, wenn sie sich im Morgengrauen entfalten. Er wartet: Bald werden sich ein paar Vögel aus dem Schlaf singen, sie werden zuerst noch verschlafen und zaghaft zwitschern, am Ende folgt Jubel der nächtlichen Angst, das kreatürliche, gedächtnislose Vergessen aller Schrecken.

Er wartet. Wenn sie singen, ist alles gut. Er wartet, und er fürchtet, dass sie vielleicht nie mehr singen werden.

Die Frau atmet leise und regelmäßig. Hin und wieder träumt sie etwas, und dann murmelt sie unverständliche weiche Worte, die keine Rs und keine Ks haben, verschwommene Worte, die nur sie versteht. Sie bewegt den Kopf hin und her, und ihr Laken raschelt.

Die Frau seufzt, und sie dreht sich zu ihm hin. Sie seufzt, als ob sie da unbewusst und ungehindert von sperrenden Gedanken-Barrikaden aus dem Schlaf heraus Gemeinsamkeit spüren lassen will. Jetzt spürt er ihren Körper, er ist nur noch durch das Lakentuch von ihm getrennt, er spürt das Tuch, es ist feucht, denn die Nacht war warm geblieben, die tropische Nacht. Im dunklen, kargen Grau der Dämmerung - unmerklich hat sich der Tag an den Horizont herangetastet, berührt die weiche Wand, die hell von dunkel trennt - sieht er, wie ihre Hand unter dem Tuch hervorkommt, zögernd verharrt, wie ein kleines Tier, das scheu auf eine Lichtung tritt, dann Mut fasst und die freie Fläche überwindet. Huscht zu ihm hinüber und verschwindet unter seiner Decke, umfasst seine Hand, als ob dort Geborgenheit und Schutz zu finden sei.

"Dora", flüstert Bogdan.

"Daniel", murmelt die Frau.

Daniel! Bogdan möchte das kleine Tier töten, das in seiner Hand Schutz gesucht hat. Er tötet es nicht, zerbricht es nicht in seiner Hand, zerquetscht es und erwürgt es nicht, denn das kleine Tier hat Lust mitgebracht, er zieht es zu sich hinüber, zieht es auf seinen Bauch, lässt es in seinen drahtig-harten gelben Haaren kauern und befiehlt mit einem Händedruck: Bleib! Bleib und warte, bis er erwacht.

Unter dem Lakentuch sieht er die Formen ihres Körpers, meint zu sehen, dass das Tuch die krausen Haare zwischen ihren Schenkeln ahnen lässt. Er spürt, dass sich Hitze zwischen seinen Schenkeln zu wölben beginnt, diese Hitze, die ihn wehrlos macht, die seinen Willen verbrennt.

Er schluckt und schmeckt Begierde. "Daniel", denkt er, und er beschließt Daniel zu sein.

Er dreht sich zu ihr hin, und unter dem Lakentuch tastend findet er die dunkle Mulde, streicht zitternd mit einem Finger an den warmen Lippen entlang. Sein Finger spürt den Duft.

Die Frau seufzt laut, jetzt, als sein Finger die duftende Furche durchwandert und tiefer dringt, tiefer, dorthin, wo weiche Nässe sich gesammelt hat, sie lässt ihre Schenkel auseinandergehen. "Wenn sie jetzt noch einmal Daniel sagt, werde ich ...", sagt Bogdan. "Was werde ich?" Er weiß nicht, was er tun wird, wenn sie noch einmal Daniel sagt. Sie seufzt und sagt: "Ahh!"

Er ist verzweifelt glücklich. Sie hat nicht Daniel gesagt.

Er versucht, ihr ins Gesicht zu schauen, ins Gesicht durch das dunkle Grau hindurch. Ihr Gesicht ist angespannt, es versucht den Schlaf noch fest zu halten. Ihre Lippen sind zusammengepresst, fest aufeinander gepresst. Er sieht, wie es oberhalb der Wangenknochen pocht: Ihr Kopf, selbst im Schlaf wehrt sich ihr Kopf gegen ihren Körper. Gegen ihn? Ihr Körper aber drängt sich gegen seinen, und Bogdan spürt, wie jetzt die duftende Nässe aus ihrem Innern dringt und zwischen seine Finger quillt.

Die Frau dreht sich um, sie kehrt ihm den Rücken zu. Er drängt sich nahe an sie heran, Er zieht die langen Hälften ihrer Backen auseinander und dringt in sie ein.

Sie drückt dagegen, sie murmelt: "Ja!"

Sie lässt von ihren Lippen kleine Töne abtropfen, Wörter, die nichts sagen, drängt sich fester gegen ihn. Seine Stöße trommeln auf ihre Backen, und manchmal, wenn die Nässe ihrer Haut das macht, wird aus dem saugenden und klebenden Auseinanderziehen ein Schmatzen. Es erregt ihn, das Schmatzen, er versucht, es mit der Zunge nachzuempfinden, sein Körper reduziert sich auf Glied und Zunge, beide graben gleichzeitig und schnüffeln schmatzend zwischen ihren Schenkeln.

Jetzt beginnt sie zu schreien und er weiß, jetzt hört sie ihn nicht mehr, jetzt ist sie weit fort von ihm bei dem anderen, jetzt hat Daniel Besitz von ihr ergriffen. "Dora", sagt er leise, er, der er nicht mehr ist. "Krystina", flüstert er mit Panik in der Stimme. Er nimmt, was Daniel bekommen soll. Er ist in einem Pingpong-Spiel, zwei

Frauen spielen es. Und er ist der Ball, das weiße Zelluloid, das hin- und hergeschlagen wird.

Die Frau sucht mit ihren Füßen Halt an der Wand gegen seine wilden Stöße. Die Frau, in der er ist, die jetzt zuckend, stöhnend mit ihm kommt, die seine Lust in sich aufnimmt.

Alles an ihm hört auf zu denken, und sein Körper bringt heiße Lava hervor, die sich in ihren Säften mischt.

"Guten Morgen", hört er sich später sagen. "Hast du gut geschlafen, Krystina?"

"Danke", hört er sie später sagen. "Und du, Bogdan und du?" Sie tut, als ob nichts war. Und wenn wirklich nichts war?

Was tut er in diesem Bett, in diesem Haus? Wie ist er hierher zurückgekommen?

Wo ist Dora?

Was hat Krystina hier zu suchen?

Und: Haben die Vögel zu singen begonnen? Er weiß es nicht. Ist er wach? Hat der Traum ihn geweckt?

***

Er war gerannt und hingestürzt, und er war wieder aufgestanden und war weiter gerannt. Sie waren hinter ihm her, und er spürte sehr deutlich, dass ihre Steine und Messer an ihm vorbei flogen, dass einige ihn nur um Haaresbreite verfehlten. "Wenn einer mich trifft, dann haben sie mich", denkt er. Panik.

Ein Messer fliegt an seinem Ohr vorbei, so nahe, dass er spürt, wie es die kleinen Härchen mitnimmt. Er schmeckt den sirrenden, schneidenden Ton, den es in seinem Ohr hinterlässt. "Nein", versucht er zu sagen. "Nein, nicht!"

Er stürzt erneut, und er weiß, dass es keinen Sinn mehr hat, keinen Sinn, noch einmal aufzustehen und weiter zu rennen. Er kommt dennoch hoch. Er rennt weiter. Er weiß, dass das nächste Messer ihn treffen wird, das nächste Messer, der nächste Stein. Der nächste Stein trifft ihn in den Rücken. Er schlägt ein Loch in seinen Rücken, durch das er hindurchschaut, und er sieht sie, sieht ihre von Wut verzerrten Fratzen.

"Bogdan", schreit einer, "Bogdan, wir haben dich! Wir schneiden sie dir ab, Bogdan. Wir geben sie den Hunden zu fressen. Wir stopfen sie dir ins Maul. Bogdan! Ins Maul! Deine Eier!"

Und dann ist da plötzlich wieder die Schlucht. Das ist die, die nur er überspringen kann. Nur er. Die anderen, die kommen da nicht hinüber. Sie haben es noch nie geschafft. Nur er.

Er springt. Und er wacht auf.

Die Schreie hinter ihm sind weg. Als ob es sie nie gegeben hat, aber es hat sie gegeben, zum wie vielten Mal nun schon? Er richtet sich im Bett auf. Er blickt um sich. Er versucht zu lächeln. Es gelingt ihm nach einiger Zeit. Nach einiger Zeit gelingt es ihm, die Lippen zu bewegen und den Mund breiter zu machen. "Ich lächle", sagte er.


2

*TOUTOUS BOUTIQUE*


"Ich bleibe im Bett", hört Bogdan sich sagen. Er sagt es laut, aber nicht laut genug, denn im Badezimmer fließt Wasser, sie wäscht sich, sie hört nur, dass er etwas sagt. Was er wirklich sagt, versteht sie nicht. Hat sie es je verstanden?- Er sieht sich unter dem Waschbecken liegen, sieht sich nach oben starren, ein paar Tropfen lösen sich aus dem krausen Haar zwischen ihren Schenkeln und fallen auf sein Gesicht. Sie fallen auf sein Gesicht und schmecken und duften nach Bett und nach Frau. Mit langer Geckozunge holt er sich die Tropfen in den Mund.

"Was sagt du?" Krystina stellt das Wasser ab.

"Ich bleibe im Bett", sagt Bogdan noch einmal. Er kommt unter dem Becken hervor, er sieht sich die Treppe hinuntergehen, die ins Esszimmer und in die Küche führt. Er weiß, dass Krystina vorher eine Menge kochendes Wasser über eine Menge Kaffeegries geschüttet hat. Das hat er gerochen. Er weiß, dass der Kaffee sich inzwischen gesetzt hat. Er pflückt eine große Tasse von einem Haken an der Wand und schüttet sie voll Kaffee. Er schaufelt sich einen Esslöffel Zucker hinein und noch einen, den braunen. Und er greift, schon wieder aus der Küche herausgehend, ein paar Bananen, die da auf dem Tisch herumliegen. Sie sind klein und reif, die aromatischen Süßen, die niemand in Europa haben will. Sie lassen sich nicht exportieren, man kriegt sie fast umsonst.

Krystina kommt aus dem Badezimmer, er bleibt auf der zweiten Treppenstufe stehen, sie schauen sich an. "Ich bleibe im Bett", sagt Bogdan noch einmal.

"Ich habe es gehört."

Sie bleiben einen Augenblick so stehen. Sie schaut auf seine Mitte, aus der immer noch - schon wieder? - eine Erektion hervorsticht. Ihr Bademantel ist offen, in ihren Härchen glitzern Tropfen. Sie lächelt. Lächelt sie abschätzig? Was denkt sie, was er machen will?

Er dreht sich um und dreht ihr seinen nackten Hintern zu. Er steigt die Treppe weiter hoch und hört sie sagen: "Was denke ich? Was meinst du, was ich denke?"

Er gibt keine Antwort. Er hofft, dass sie ihm nachschaut, und er läuft dafür mit breitem Schritt, zwischen die Beine durchsehen soll sie ihm, seine dicken prallen Eier soll sie sehen, die der haarige Sack kaum fasst. Und wenn sie jetzt hinter ihm herlaufen würde, dann wäre alles....

"Ich fahre in die Stadt", sagt sie. "Toutou hat neue Bikinis bekommen."

"Brauchst du Geld?" Ein bisschen Hoffnung schwingt in seiner Frage. Ein bisschen Hoffnung, dass sie das näher bringen könnte. "Ich geb´ dir, was du brauchst. Komm hoch."

"Ich habe", sagt sie. Sie sagt es gleichgültig.

12

Er blickt sich schnell noch einmal um und sieht, dass sie aus dem Fenster schaut. Sie hat ihm den Rücken zugewandt. Sie hat ihm nicht nachgeschaut. "Grüß Toutou", sagt er. Dann ist er oben. Er geht geräuschvoll auf das Bett zu und schlürft den Kaffee laut. Er grunzt, als ob er zufrieden sei. Er reißt die Schale von einer Banane und stopft sich die ganze Frucht in den Mund. Er singt mit vollem Mund, weil er weiß, dass sie das hasst, und damit sie weiß, es geht ihm gut, verdammt noch mal! "Es geht mir gut!" schreit er mit vollem Mund nach unten. Antwort gibt es nicht. "Wenn bei Capri..." beginnt er zu singen.

"Hör auf!" hört er Krystina schreien. "Hör auf! Hör auf!"

Er schaut zur Tür und fragt sich, ob er gerade da durchgekommen ist. Das Bett ist warm, als ob er es nie verlassen hat. Hat er es überhaupt verlassen? Wo ist der Kaffee? Die Bananen?

***

Das Haus. Er erkennt es wieder. Hier hat er einmal gewohnt. Wann war das? Jetzt? Wann war das? Morgen? Vor mehr als 200 Jahren hat ein französischer Bauer aus der Bretagne das Haus nach seiner heimatlichen Erinnerung gebaut, ein Bauer, der vom Sklaven dort zum Sklavenhalter hier geworden ist. Von ihm ist nur noch in den blutigen, mit Gewalt und Grausamkeit vollgespuckten Legenden des Dorfes eine Spur zurückgeblieben. Dass er sich nahm, was er wollte, dass er den Wald verbrannt und den Boden mit Tabakanbau zerstört hat. Monokultur. Und in einigen Menschen, die rotes Haar zur schwarzen Haut tragen, steckt etwas, was die anderen das Blut des Alten nennen. Seine Kinder sind wieder zurückgegangen, zurück nach Frankreich, Seine Kinder - die von der weißen Frau, die hier gestorben ist, nicht die Bastarde, die er mit den schwarzen Mädchen gemacht hat, mit den drallen Dreizehnjährigen, da hat sich damals noch keiner drum geschert.

Bogdan hat das Haus von einem Schweden gekauft, der es von einem Holländer hatte. Manchmal meint er, den Geruch der schwarzen Mädchen noch zu riechen, den Atem der Münder, die Kardamom kauten, den Atem der Münder, die der Alte sich nahm.

Richtige Treppen hat das Haus nicht. Es sind Stiegen, die direkt durch ein Loch in der Decke nach oben unters Dach führen. Oben ist das Schlafzimmer. Unten ist die Küche.

Bogdan schließt die Augen und sieht, wie der Alte die Mädchen nach oben schiebt, wie er mit der Hand unter ihren Röcken nach ihren Hintern greift, wie er versucht, mit seinem haarigen Daumen etwas vorweg zu nehmen.

Bogdan öffnet die Augen wieder und schiebt das Bild weg. Für ein anderes Mal, denkt er, für ein anderes Mal. Da will er versuchen, der Alte zu sein. Jetzt kann er aus dem Fenster in den Himmel sehen. Wenn er sich ein wenig aufstützt, bekommt er das Meer in den Blick. Wenn er sich dann setzt, sieht er die Anse de Morgan, und er sieht, wenn die Saison gekommen ist, die vielen Boote, die dort ankern, die Boote der Glückssucher aus Europa. Die Boote mit den Männern und Frauen, die das Paradies suchen und nie wissen werden, wo es ist. Er könnte ihnen sagen, wo es ist. Aus der Hölle hat man einen weiten Blick.

Die Stadt ist weit entfernt. Mit dem Jeep brauchen sie zwei Stunden, um dort anzukommen. Der Weg führt zuerst am Strand entlang, felsig ist er am Ende der Bucht, bis von dort ein ungepflasterter Weg durch die Plantagen führt. Erst auf den letzten Kilometern beginnt die asphaltierte Straße. Wenn das Meer wild ist, und der Wind in die Bucht hineinstürmt, ist der Strand manchmal tagelang überspült. Dann ist es gefährlich, in die Stadt zu fahren, jedenfalls unangenehm, und durch die salzigen Wellen, die sich an den Felsen zerfetzen und aus der Höhe auf die Piste stürzen, ist das auch schlecht für den Jeep. Hier verrosten Eisenträger in drei Jahren zu braunrotem Staub.

Bogdan stützt sich auf und schaut in die Bucht. Dann lässt er sich ins Bett sinken, er schließt Augen und schaut weiter. Das Wasser in der Bucht ist heute spiegelglatt, nur manchmal fährt ein Hauch darüber hinweg, kräuselt es, schläft schon nach wenigen Metern ein. Heute weht kein Wind. Am Ende der Bucht legen Fischer Netze aus. "Sie wird eine angenehme Fahrt in die Stadt haben", denkt Bogdan. Dann denkt er den Namen Toutou, und für einen Augenblick spannt sein Körper sich an, als ob er aufstehen wollte und auch in die Stadt. "Viel zu früh" hört er sich sagen. Er legt sich zurück. Warum zum Teufel ist er wieder hier auf diesem grünlichen Kuhfladen einer Insel, den sie Marie Galante nennen, auf diesem Fladen, wo er mit Krystina war? Wo ist Dora, verdammt noch Mal? "Dora?!" Keine Antwort.

*\*\**

Die Luft ist voller Frauen. Er spürt das sofort, als er mit ihr in Toutous Boutique eintritt. Er hat sie im Supermarkt getroffen, dort, wo die Leute von den Booten einkaufen, das Mehl für die Crêpes, den Rum für den Planters Punch, den Zwieback und die weißen Bohnen für die Weiterfahrt. "Kriegt man hier irgendwo einen hübschen Fummel?" hat sie ihn gefragt. Sie hat gesagt: "Aus den dreckigen Jeans muß ich raus. Das T-Shirt stinkt nach Boot und Petroleum." "Bei Toutou", hat er geantwortet. Und sie hat gefragt: "Ist Toutou teuer?"

"Manchmal kostet es nichts."

Sie hat gelacht. "Es kostet immer was."

Die Luft ist voller Frauen. Sie sind allein, außer der Verkäuferin ist niemand im Laden, aber er spürt die Schwingungen der Erregung, die andere zurückgelassen haben. Kleider und Frauen. Die Bedingungslosigkeit, mit der sich Frauen Kleidern hingeben, beginnt ihn zu berühren. Er meint, hinter den Vorhängen der beiden Umkleidekabinen weibliche Lust zu spüren. Zu fühlen. Zu riechen. Er nimmt das wahr wie ein Schmetterling, der mit Antennen ausgestattet ist, die Kilometer weit hinausreichen. Er spürt die Lockstoffe, er erlebt den in Erregung ausgeschiedenen Duft, unschuldig und obszön zugleich.

Das Mädchen läuft vor ihm her. "Ich bin Clara", hat sie gesagt. Sie ist jung. Auf dem Boot kocht sie für drei Männer. "Dafür kostet es nichts - die Reise." Die Mädchen, die auf Yachten reisen wollen, wissen, was es kostet, wenn es nichts kostet. Sie haben sich darauf eingestellt. "Es kostet immer was", hat sie gerade lachend gesagt.

Er beobachtet sie, wie sie an den Kleiderständern vorbeigeht, hier an einem Kleid zupft, dort einen Rock herausnimmt, wie sie einen Mini, einen Fetzen aus dünner roter Wolle, aus einem Stapel bunter Röcke zieht, ihn an ihren Körper hält. Er sieht, wie sie lächelt, den Kopf schüttelt, ihn wieder scheinbar achtlos zurücklegt. Er weiß, das ist das Vorspiel, die scheinbar absichtslose, die flüchtige Berührung. Lust muss erst noch geweckt werden, aus ihrem harmlosen kindhaften Schlaf geweckt werden, der Zustand der Erregung ist noch lange nicht erreicht, jener Zustand, der sie zum willenlosen Objekt des Kleides machen wird, der Augenblick, an dem nicht sie das Kleid mehr in die Hand nimmt - das Kleid ergreift Besitz von ihr.

Er fragt sich, als ihm dieser Gedanke kommt, ob die Kleider nicht die wirklichen Liebhaber der Frauen sind, die streichelnden, die tändelnden, die unentwegt berührenden, verführenden, die raschelnden und flüsternden, betörenden, sie, die Lust zum Dauerzustand machen, wie in grober, pubertärer Form jene viel zu engen, in alle Spalten dringenden, an ihnen und in ihnen reibenden Jeans, aber eben konsequenzlose Lust, Lust ohne Folgen, Lust auf Abruf, Standby-Lust, Lust am Kleider-Partnerwechsel, dieser besonderen Form der Untreue. Nicht fordernde und ausschließende, nicht wollende, nehmende, unbedingte, nicht die stöhnende, steigende, ausbrechende und vergehende Lust, die im Schweiß der Körper wächst, in ihren Schreien. Wächst und welkt.

Bogdans Frage ist von Neid begleitet, von dem kleinen schmerzhaften Zucken in seinem Inneren, in dem ein kleiner Fisch hilflos an einem Haken zappelt, Eifersucht. Er will die Seide sein, die zwischen ihren Schenkeln schmeichelt, sich an ihren Haaren reibt, er will den Geruch aufnehmen, der von von den Schenkeln strömt, die Wärme, er will das aufsaugen, wie ein trockener, auf dem Trockenen fast verendeter Schwamm.

Aus der Eifersucht wächst Widerstand und Unbehagen. Würde er das wollen? Kleid sein? Etwas, das ihr gut steht, dieser Knabenfrau hier, etwas, was sie anderen Männern und Frauen gegenüber, ja, Frauen wohl auch, attraktiver macht, begehrenswerter, beneidenswerter? Die Frage ruft in ihm Unbehagen wach, er spürt, dass er da in eine Richtung stößt, die seinen Wert in Frage stellt, seinen Selbstwert, aufgebaut in Jahrzehnten, eingerammt wie Zaunpfeiler um die zerbrechliche Festung seiner Selbstachtung herum.

Clara hilft ihm in diesem Augenblick, die Frage zu vergessen, er schiebt sie hastig weg, denn: Jetzt geht sie an ihm vorbei auf den großen Spiegel zu.

Da ist etwas geschehen. Er hat den Augenblick verpasst, mit seinen Gedanken verdunkelt. Er spürt es an ihrem Gang. Und er spürt es an dem Geruch, den nur er riecht, er hat oft mit anderen darüber geredet, immer nur Kopfschütteln zur Antwort bekommen, befremdetes Lächeln. "Schmetterlinge riechen ihren Sex auf Meilen", hat er gesagt. Und die anderen unbehaglich: "Aber wir sind keine Schmetterlinge." Wirklich nicht?

Sie hat ein Kleid von einem der Ständer genommen, sie schleift es hinter sich her wie ein Kind seine Puppe, und vor dem großen Spiegel bleibt sie stehen. Jetzt wird sie sich das Kleid vorhalten, denkt er. Sie tut es nicht

Sie steht vor dem Spiegel und betrachtet sich. Sie versucht sich vorzustellen, was dieses Kleid für sie tun wird, dieses Kleid, das neben ihr halb am Boden liegt, über ihn schleift, nur durch ihre Hand gehalten. Sie sieht sich jetzt nackt, denkt er, und als er das denkt, ist sie auch schon nackt in seinen Augen und in seiner Vorstellung. Er sieht im Spiegel ihre festen Brüste, die sie, das weiß er, das will er so wissen, mit zwei Händen zusammendrücken wird, wenn sie später allein sind, die sie zusammendrückt, damit sein Glied zwischen sie gleitet, damit sich der strenge Geruch mit dem milchig sanften Parfum ihrer Brüste mischt, mit dem milchig sanften, mit dem pfirsichsüßen.

Er sieht auch ihre Hüften, aus denen sich die Backen ihres Hintern formen, ein Gedanke zuckt in seinen Fingern, er will die warme Spalte entlang fahren, der Duftspur, die zu ihren Höhlen führt, folgen, er will den Widerstand spüren, wenn sie die Muskeln spannt, er will ihn überwinden, will den ersten Seufzer des Ergebens hören, wenn sein Finger einen Kreis um die Rosette dreht, die andere phantasielos Anus nennen, will hoffen, dass der Schweiß ihrer Backenspalte den Finger genügend befeuchtet hat für ein kleines, kaum spürbares Eindringen, dann für ein Vordringen durch den harten Muskel hindurch, der in seiner Vorstellung dem Nippel gleicht, durch den man Luftballons aufbläst und dann knotet.

Sieht Clara, was in ihm vorgeht? Sie dreht sich vom Spiegel weg, geht in den dunklen, immer dämmerigen Teil der Boutique und schiebt eine der kleinen Türen auf. Sie beachtet ihn nicht.

Er sieht in der Umkleidekabine ihre Füße bis fast zum Knie, so haben sie die Tür gebaut, auch, damit die Kundinnen nichts klauen, und er sieht ein Farbenspiel in hell und rosa hinter dem fast undurchsichtigen Glas der Tür, er sieht, wie die Jeans an ihren Waden herab zu Boden gleiten, er weiß, dass sie sich jetzt bückt, dass sich ihre Backen gegen die Rückwand der Kabine pressen, wieder zucken seine Finger, er ist die Wand, er spürt an seinem Körper die Berührung mit der nackten Haut.

Das Kleid ist geblümt, es hat kleine lila Blütenmuster auf ockerfarbenem Grund. Es ist knöchellang, weit ausgeschnitten. Sie kommt damit aus der Kabine heraus, verändert. Nicht mehr die Köchin vom Boot, an der die anderen sich lüstern vorbeidrängen, um mit ihren

Bäuchen und steifen Gliedern eine Ahnung ihrer Freuden zu ertasten. Nicht mehr das Mädchen im Supermarkt in salzigen, klebrigen, nach Diesel riechenden Jeans. Eine Frau, kein Knabenmädchen mehr.

Er geht auf Clara im Spiegel zu, sie lächelt ihn im Spiegel an, er setzt sich von ihrem Blick geführt auf einen Stuhl, der seitlich vor dem Spiegel steht. Sich und Clara sieht er nun. Sein Blick geht zwischen beiden Spiegelbildern hin und her.

Sie spricht mit sich durch den Spiegel. Sie lässt ihren Körper sprechen, sie lässt ihre Augen verstehen. Das Kleid ist weit ausgeschnitten, ihre Brüste füllen es aus, sie bieten sich dar. Das Kleid modelliert ihre Hüften, betont aber auch ihren kleinen Botticelli-Bauch, den Bauch, den sie sicher hasst, den Bauch, den er liebt. Er küsst ihn, lässt seine Zunge über die Wölbung aus glatter Haut gleiten und in ihrem Nabel forschen, Gedanken sind frei, auch lüsterne. Ein alter Schlager summt durch seinen Kopf: "Standing on the corner, watching all the girls go by. Standing on the corner, giving all the girls the eye. Well, you can´t go to jail for what your thinking, nor for that mean look in your eye. Standing on the corner watching..."

Das Kleid wird unterhalb der Hüfte weit, schon Claras Atmen versetzt es in Schwingung, Clara atmet heftiger.

Neben dem Spiegel sitzend, selbst Spiegel und selbst Spiegelbild, sieht Bogdan, wie ihr Mund sich öffnet, halb geöffnet Hingabe signalisiert. Sie gilt nicht ihm, sie gilt dem Kleid. Das Kleid ist dabei, Besitz von Clara zu ergreifen. Das Kleid ist nicht mehr die Puppe des Mädchenkindes, sie selbst ist die Puppe des Kleides, Kleiderpuppe.

Er spürt, was das Kleid mit ihr tut, und er spürt, dass das schlafende Tier im Zuchthaus seiner Boxershorts sich zu räkeln und zu regen beginnt. Er erlebt die feine Linie der Erregung, die sich zwischen seinen Backen bildet, er zeichnet sie in Gedanken nach, verfolgt ihren Weg bis zum Ende, erlebt, dass die träge Bestie jetzt hellwach geworden ist, sie lauert gespannt und angespannt auf Gelegenheit.

Er sieht plötzlich auch, wie jung sie noch ist, wie jung mit ihrem fast törichten Gesichtsausdruck gedankenloser Freude, betäubt, wehrlos gemacht vom Zauber des Kleides, so müssen junge Mädchen ihre Lehrer anhimmeln, bedingungslos, und mit der Unbeirrbarkeit von Welpen, die zur Milch wollen, und dann wundert man sich noch, wenn da was passiert... Er denkt an den Sportlehrer, mit dem er befreundet war, und an die lüsterne Qual, von der er erzählte. Von Hilfestellungen am Reck, die sein Gesicht mit ihren Schenkeln in Berührung brachten, den Sprüngen auf dem Trampolin, von herausfordernden Gesten und den haarsträubend gefährlichen Begegnungen im Schullandheim. "In der Küche auf dem Tisch." Taxifahrer war er hinterher geworden. Er denkt an den Deutschlehrer und an Katrin und an Nora, die ihn mit Liebesbriefen überwältigt haben, und hinterher musste er in die Therapie, weil es herausgekommen ist, so hat es der Schulleiter verordnet. Aber Katrin und Nora lieben ihn immer noch, und sonntags gehen sie auf den Fernsehturm, weil sie von dort in seine Wohnung blicken können und schauen auf sein Bett. Für die Eltern geht das in Ordnung, Hauptsache, dass die Kinder nicht mehr mit dem Lehrer schlafen, sonst schaffen sie nie das Abitur, und mit sechzehn Jahren einen Fünfundvierzigjährigen, das geht doch nun wirklich nicht. "Du, ich glaube, mein Vater ist bloß eifersüchtig", hat Katrin zu Nora gesagt. "Wenn ich mich auf seinen Schoß setze, kriegt er imer einen roten Kopf." Der Vater ist Bankangestellter und fährt einen Mercedes-Jahreswagen

Clara wendet sich vom Spiegel ab, sie geht zur Umkleidekabine zurück. Jeder ihrer Schritte, jeder Millimeter ihrer Schritte, befiehlt Bogdan: Geh mit! Er steht auf und folgt ihr. Sie verschwindet hinter der Tür. Er bleibt stehen, er zögert. Er geht in den vorderen Teil der Boutique, wo die Verkäuferin Radio hört. Unaufhörlich quillt da Reggae heraus: "I didn't kill the sheriff..." Die Verkäuferin blickt flüchtig hoch. "Jolie robe", sagt sie, um etwas zu sagen. Sie hockt hinter dem Kassentisch und schminkt sich die Lippen. Ein großer

Mund, den der obszöne rote Stift in langsame, laszive Bewegungen versetzt. Die Ähnlichkeit der Münder einer Frau! Bogdans Kopf füllt sich mit Watte, die Watte macht den Boden weich, so weich, dass ihm fast schwindlig wird, dass er zu taumeln meint.

Die Verkäuferin ist aus England, vermutlich hat es sie auch auf einem Boot hierher verschlagen. Sie kann das in Französisch nur mühsam sagen: Jolie robe. "Pretty dress", fügt sie sicherheitshalber hinzu.

Bogdans Ohren sind nach hinten gerichtet. Hinten hört er jetzt das Rascheln des Kleides. "Excuse me", sagt er hastig und lässt die Verkäuferin hinter ihrer Kasse mit Lippenstift und Reggae allein. "I only killed the deputy."

Er dringt in die Umkleidekabine ein. Er schiebt die Tür nach innen, und denkt, denkt die wahnsinnigen lichtschnellen Gedankenfetzen, wie seine pralle Eichel ...denkt er... jetzt gleich ihre Schamlippen nach innen pressen wird ...denkt er... in die heiße Dunkelheit vordringen... denkt er... in die bordeauxrote Höhle... denkt er...

Clara ist dabei, sich das Kleid über den Kopf zu ziehen. Er drängt sich zu ihr, drängt sich hinter sie. Er hält mit einer Hand das Kleid über ihrem Kopf fest, dreht es über ihrem Kopf zusammen. Sie stöhnt auf, als er mit der anderen Hand ihre Schenkel auseinanderschiebt. Sie bleibt mit gespreizten Schenkeln stehen, regungslos wie eingefrorene Zeit, bis er die Knöpfe seiner Hose aufhat, bis die Bestie herausdrängt und sie anspringt und ihre Höhle sucht, um sie zu verwüsten.

Es kümmert ihn nicht und wohl auch nicht Clara, dass die Verkäuferin gegen die Tür zur Kabine drückt, sie dann von außen öffnet, plötzlich bei ihnen in der Kabine steht. "But please, the dress!" sagt sie klagend, und sie macht erschreckte Augen, denn so lange arbeitet sie noch nicht in der Boutique, und gerade heute, wo Madame Toutou mal weg musste, mit dem Hund zum Friseur... Sie weiß nicht, ob so etwas hier zu Lande vielleicht üblich ist, in Birmingham jedenfalls wäre das undenkbar, absolutely impossible, obwohl, einmal hat sie gesehen, wie es zwei im Paternoster machten, und das Mädchen aß Schokolade dabei... "Jolie robe!" sagt sie verzweifelt. "N´est-ce pas?"

Er zieht die nasse Bestie aus der Höhle, gibt gleichzeitig das Kleid frei und zieht es Clara über den Kopf aus. "We´ll buy it", sagt er und lässt es zu Boden fallen. Die Verkäuferin will sich danach bücken, aber Bogdan lässt es nicht zu. "Kiss her!" sagt er leise und starrt auf ihren dunkelrot geschminkten Mund. Und: "Give me your hand!" Er ergreift ihre Hand, noch bevor sie sich wehren kann, bevor sie nachdenken kann und schneidet ihr dadurch auch den Fluchtweg ab, die Flucht zurück hinter die Kasse. Er führt ihre Hand zu seinem in Clara gebadetem Glied. Sie umfasst es, erschrickt ein wenig vor der Nässe, stammelt: "Oh my God!!" Aber Birmingham ist weit, sie lässt sich auch von Bogdan gegen Clara pressen, sie schließt die Augen und öffnet den Mund.

Er sieht, wie die beiden Frauen sich küssen, wie ihre Zungen umeinander kreisen und wie die Farbe vom Lippenstift auch Claras Mund verschmiert. Er kommt in der Hand der Verkäuferin, sie lässt seinen Samen gegen Claras Schenkel spritzen, sie lässt ihn auf das Kleid am Boden tropfen, auf das Kleid mit den Blumen auf ockerfarbenem Grund. Am Seufzen und Zucken der Frauen erfährt er, dass sie ebenfalls kommen, fast erstaunt seufzt die Verkäuferin aus Birmingham.

"Wenn nun aber jemand gekommen wäre", sagt sie später an der Kasse. "If somebody had come." Dann bricht Provinzwitz durch, und sie lacht und sagt: "We all came!" Cynthia heißt sie, und sie will auch ihre Namen wissen.

Eine dicke Frau betritt wenig später die Boutique, als ob das alles eine Theatervorstellung wäre, als ob sie auf ihren Auftritt gewartet hätte. "Toutou!" sagt Bogdan zur Begrüßung und lächelt sie an. Sie kommt auf ihn zu und küsst ihn dreimal auf die Wangen. Der Hund auf ihrem Arm sieht gut frisiert aus. Er schnuppert aufgeregt und bewegt dabei die Schnauze in alle Richtungen. "Was hat er bloß?" fragt Toutou erstaunt. Sie schnüffelt jetzt selbst.

"This lady has bought the dress with the flowers", sagt Cynthia, und in mühsamem, von jaulenden englischen Klängen verstümmeltem Französisch, fügt sie hinzu: "Mademoiselle a acheté la robe avec les fleurs." Sie hebt die Tüte hoch, auf der "Boutique Toutou" steht und "toujour un bon achat", gold auf schwarz. Einerseits ist sie stolz auf ihren Erfolg. Andererseits: Wenn nun der ganze Laden nach Lust und Sperma riecht? Und ihre Hand!? Sie hält sie vor den Mund, als ob sie ein Gähnen unterdrücken wollte. Sie erschrickt und wischt die Hand verstohlen an ihrer Hüfte ab.

"Une très jolie robe", sagt Toutou. Sie lächelt zufrieden. Das Geld lenkt sie ab. Es war ihr teuerstes Kleid. Sie hockt sich hin und sie lässt den Hund aus der Hocke auf den Boden springen. Sie stöhnt dabei und Bogdan sieht auf ihre enormen, schweißglänzenden schwarzen Brüste hinab. Der Hund läuft zur Umkleidekabine, sein Schnüffeln verrät Enthusiasmus und Entdeckerfreude. "Qu'est-ce que tu fait là, mon chou?" fragt Toutou hinter ihm her. Sie schaut zu Bogdan hoch. Misstrauen blinkt in ihren schwarzen, harten Puffmutter-Augen.


3

*KUTTE MIT MEHL*


Die Fischer in der Bucht haben aufgehört zu arbeiten. Vorher hatten sie eine Stunde lang die Netze ausgebracht. Wie fast jeden Morgen. Jetzt, das weiß Bogdan, liegen sie jeder für sich auf dem Boden ihrer Boote. Sie warten. Gegen Mittag holen sie die Netze ein. Es werden ein paar Fische drin sein. Wenige. Die Bucht ist leer gefischt.

Bogdan greift hinüber zum Tisch neben dem Bett und nimmt das Fernglas, das da immer liegt. Er schaut zu den Booten hinüber. Einer der Fischer schläft, oder jedenfalls hat er sich auf die Seite gedreht und den Kopf zum Schutz gegen die Sonne unter einem Sack versteckt. Der andere Fischer blättert in einem Heft. Eine Hand des Fischers liegt zwischen seinen Schenkeln und reibt dort herum. "Was machst du da?" denkt Bogdan über die Bucht hinweg.

Der Fischer blickt zu ihm hinüber und grient. Er spreizt seine Schenkel und zeigt ihm ein riesiges schwarzes Glied. Er deutet auf die Möwe, die über seinem Boot kreist und macht lachend eine obszöne Geste zu ihr hin: "Moi la baiser!" Er richtet sich auf und pflückt sich die Möwe vom Himmel.

Bogdan setzt das Fernglas ab. Bogdan sagt: "Schwein!" Er läßt sich ins Bett zurücksinken. Er schaut gegen die Decke des Zimmers, an der die Geschichte mit Clara verblichen ist. Sabine taucht auf, als er in der Ecke die Spinnweben sieht.

Das muß daran liegen, denkt er, es muss daran liegen, dass er mit dem Fernglas den Fischer beobachtet hat, das glänzende schwarze Glied. Sabine hat er das erste Mal auch so gesehen. Fernglas. Heimlich hinter dem Fenster. Bogdan der Spanner. Da war er noch in Europa, und wer weiß, warum sie die Jalousie zur Küche nicht heruntergelassen hatte. Wer weiß, warum?

Bogdan sieht, dass sie auf dem Küchentisch etwas knetet, das muss ein Teig sein. Hinter ihr, an der Tür lehnt dieser Mann. Er ist jünger als die Frau. Später, als er Sabine kennt, weiß er, dass sie Mitte fünfzig ist, weiß er, dass sie junge Männer mag, im Urlaub fährt sie nach Kenia. Oder nach Tunesien. Auch schon mal nach Marokko. "Aber da sind mir die Männer zu primitiv." Die Männer warten am Strand. Sie ist Witwe, und sie ist reich. Alle jungen Männer wollen eine reiche Witwe. Manchmal nimmt sie einen mit ins Hotel. Sie spielt mit ihm. Sie schickt ihn wieder zurück. Mit einem bisschen Geld zurück an den Strand. "Entwicklungshilfe", sagt sie und lacht. "Aber eigentlich sind sie meistens sowieso schon gut entwickelt."

Das Fernglas bringt Bogdan so nahe an sie heran, er meint, er hört sie seufzen, während sie den Teig knetet. Er sieht die Zunge zwischen ihren Zähnen, dass ihre Lippen feucht sind, sieht er auch. Und sie pustet sich mit vorgestülpter Unterlippe ein paar Haare aus der Stirn.

Bogdan sieht den Mann, sieht dessen angespanntes Gesicht, und er sieht, was der sieht. Unter der schwarzen, strengen Kutte, die Sabine anhat, und die sie einer Nonne gleichen lässt, spannen sich die Backen vom Kneten, und es springt auf ihn über: Der Teig, ihr Hintern, den er jetzt selber kneten möchte, der Teig und ihre schweren Brüste, die gegen ihre Oberarme pressen, die schweren Brüste, die er gegen seine Oberschenkel pressen möchte, und ihren feuchten mehlbestäubten Mund gegen sein hartes Glied.

Bogdan sieht: Der Mann stößt sich vom Türrahmen ab, er geht auf Sabine zu, er packt sie von hinten. Hart. Bogdan sieht, wie eine Hand ihre Schulter umklammert. Die andere schiebt die Kutte hinten hoch.

Sie trägt nichts unter der schwarzen Kutte. Die Kutte ist voller Mehl, das Mehl liegt staubig auf dem stumpfen Schwarz, und ihr Gesicht ist gerötet, sie lauscht nach hinten, was sie da gepackt hat, und was da jetzt geschieht. Auch ihre Hände sind voller Mehl und Teig. Jetzt, schon während der Mann sie umfasst, steckt sie einen Daumen voller Teig in den Mund und leckt ihn ab. Der Mann sieht, was sie da tut, was sie da fordert. Er steckt seinen Daumen in den Mund, er zieht ihn nass heraus, der Daumen verschwindet zwischen ihren Backen.

Sie richtet sich schnell auf, sie dreht sich zu ihm um, so, dass der Daumen seinen Platz verlassen muss, sie dreht sich zu ihm hin.

Der Mann hebt sie auf den Tisch, hebt sie auf den Teig, schiebt ihren nackten Hintern weiß und weich in die Masse, weich und gelb. Sie streicht mit den Händen über sein Gesicht, er spürt das Mehl und den Teig, er presst sich an sie, und sie....

Mit den teigigen Fingern reißt sie die Knöpfe auf, mit den teigigen Fingern holt sie ein dunkelbraunes Ungetüm aus seiner Hose, noch ist es nicht voll aufgerichtet, noch biegt es sich unter der Last seiner Eichel.

Und er...

Mit diesem dunkelbraunen Ungetüm steht er vor ihr, tritt jetzt einen Schritt zurück und noch einen und macht eine fordernde Kopfbewegung, lässt sich wieder gegen den Türrahmen fallen. Sie gehorcht. Sie und Mehl und Teig und schwarze Kutte, die längst nicht mehr schwarz ist, kommen vom Tisch herunter auf ihn zu. Teig löst sich von ihren Schenkeln, fällt unter der Kutte hervor auf den Boden. Sie kniet vor ihm nieder. Er spürt an ihren Händen den Teig und das Mehl, als ihre Finger seinen Schaft umfassen. Er spürt ihre Lippen, auch klebrig, er spürt, wie ihr Mund ihn aufnimmt. Von hinten packen ihre Hände jetzt seine Schenkel, treiben Fingernägel wie Sporen in ihn hinein. Treiben ihn nach vorn, tief in ihren Mund hinein.

Bogdan nimmt teil, nimmt auch teil, als der Mann dem Mund sein Glied entzieht. als er sie umdreht, ihren Bauch gegen die Marmorplatte des Küchentisches schiebt. Er nimmt teil, oder ist er das selbst, er, Bogdan, der dieses Glied in diese Tiefen schiebt, in welche der beiden, in welche?

Die Frau bewegt sich zu stark, sie macht sich frei, fauchend jetzt wie eine Katze, sie flieht vor dem kalten Marmor ins Zimmer, sie wirft sich auf ein Sofa. Bogdan wundert sich, dass er das sehen kann, wieso kann das Fernglas durch Wände schauen?

"Nimm mich von hinten. Nimm den Finger dazu. Nimm die ganze Hand."

Sie klemmt ihre Schenkel zusammen. Sie greift blind, findet einen runden Stein, der auf dem Tisch neben dem Sofa liegt. Sie schiebt sich den Stein zwischen Sofa und Bauch und drückt ihn fest in sich hinein. Sie schreit, sie beißt sich ihre Finger blutig.

Bogdan öffnet seine Augen, er nimmt das Fernglas noch einmal hoch und blickt hindurch. Die beiden stehen jetzt wieder in der Küche. Die Frau lacht, als der Mann hinter sie tritt. Sie wehrt ihn lachend ab. als er die Kutte hebt, um ihren Hintern zu streicheln. Sie gestattet aber, dass er hinter ihr auf die Knie sinkt und den Kopf unter ihre Kutte steckt. Sie hört auf, den Teig zu kneten und starrt aus dem Fenster. Sieht sie Bogdan? Ihre Hände umkrampfen das Nudelholz. Bogdan sieht, der Mann steht auf. Bogdan hört den klatschenden Schlag. Bogdan sieht, die Frau bäumt sich auf. Bogdan hört den protestierenden Schrei. Bogdan sieht, wie die linke Backe sich rötet und er sieht in Zeitlupe die Abdrücke der fünf Finger hervortreten.


4

*AUBERGINEN AUS MAROKKO.*

Sie treffen sich am nächsten Tag. Bogdan ist auf der Straße, als sie ihr Haus verlässt. "Waren Sie der mit dem Fernglas?" fragt Sabine. Sie ist fetter, als er sie in Erinnerung hat. Ihre Beine sind nicht lang. Sie watschelt fast ein bisschen. Aber irgend etwas...

"Ich gehe zum Markt", sagt sie. Da wollte Bogdan auch hin, und sie findet das: "Na, so ein Zufall". Sie macht eine Bewegung mit dem Kopf: "Wir können in meinem Auto fahren." Sie steigen ein. Bogdan sitzt schweigend neben ihr. Sie reden kein Wort.

Auf dem Markt wendet sich Sabine den Düften und den Farben zu. Ihr Blick gleitet von den roten Paprikaschoten zu den gelben und den grünen. Sie nimmt eine Birne in die Hand, sie lässt die Fingerspitzen über einen Pfirsich gleiten. Dann riecht sie an ihren Fingern. Was erwartet sie zu riechen? Was riecht sie?

Die Marktfrau kennt Sabine, sie nennt sie junge Frau, und es stört sie nicht, dass da eine kommt, die mit ihren Früchten spielt. Die Marktfrau ist unförmig und gut gelaunt, sie schwitzt auf der roten Stirn, sie hat einen Damenbart.

Sie kommt Bogdan wie die Mutter all dieser Früchte vor, als ob sie sie alle persönlich zur Welt gebracht hätte aus ihrem umfangreichen, unerschöpflichen Leib heraus, durch ihre Pforte, die seine Phantasie groß sieht wie eine Backofentür. "Sie tun ja richtig so, als ob sie verliebt sind in mein Gemüse, junge Frau", sagt die Marktfrau lachend zu Sabine. "Ist auch alles taufrisch wieder heute", fügt sie stolz hinzu.

Bogdan sieht, wie Sabine nach oben zu den Kisten schaut, in de-

nen Gurken liegen, Schlangengurken, grün. Sie sind in Folie ver-
packt. Die Folie umhüllt sie, sie liegt eng an. Ihre Blicke treffen sich.
Beide denken dasselbe, Bogdan sagt es leise: "Kondome." Ist das
wirklich das erste Wort, das er zu ihr sagt, seit sie ins Auto gestiegen sind?

Sabine lacht und ist plötzlich nahe bei ihm, sehr nahe, so nahe,
dass niemand außer ihm bemerkt, dass ihre Hand über seine Schenkel gleitet. Sie schaut ihn an. "Kondome", sagt sie und schüttelt sich
in gespieltem Entsetzen.

Sie dreht sich erneut von ihm weg und greift nach oben zu den
Gurken hoch. Ihre Hand erreicht die Kiste nicht.

In Bogdan steigt die Spannung hoch. Er will, dass sie nach einer
Gurke greift, er will sehen, wie ihre Finger sie umfassen, er will sehen, ob sie versteht, was er versteht.

"Gib mir eine" sagt Sabine. Ihre Zunge schnellt heraus, gleitet
zwischen ihren Lippen hin und her, lässt schimmernde Feuchtigkeit
zurück.

Er greift nach einer dieser Gurken, er gibt sie ihr, und es scheint,
dass sie seinen Wunsch verstanden hat, erfüllen will, sie fasst sie mit
gekrümmten Fingern, streicht an ihr entlang, ihre Nasenflügel weiten sich, sie nimmt Witterung auf, Witterung von diesem Mannsge-
ruch ausströmenden Tier, das lauernd neben ihr steht.

Sie schaut ihn an. "Gurken", sagt sie dann gleichgültig und gibt
sie ihm zurück. Rechts hat sie etwas anderes entdeckt: Lilabraune
Auberginen.

Beide starren sie die Auberginen an. Beide wissen sofort, dass sie
sie lüstern begehren, jeder auf seine Art.

Das sind andere Auberginen als sonst. Nicht jene dicken, eiförmi-
gen Früchte, diese hier sind lang und leicht gebogen. Er hört Sabi-
nes Atem und weiß, was in ihr vor sich geht. Da liegen Dutzende
braunlila schimmernde Schwänze in einer flachen Kiste, aufgereiht
jeder mit einem grünen, die Basis umfassenden Stengel, der erinnert

Bogdan an das Schamhaar bei Skulpturen, Schamhaar, aus dem dann solch ein erigiertes Monster wächst. "Nimm" sagt er tonlos, so leise, dass nur sie ihn hört.

Ihre Hand stößt mit einer schnellen Bewegung vor und nimmt eine Aubergine aus der Kiste. "Die kommen aus Marokko, junge Frau", hört er von Weitem die Stimme der Marktfrau. "Sie sind gerade erst eingeflogen. Heute früh."

Er weiß, dass Sabine die Marktfrau nicht hört, da braucht er ihr nur auf die Finger zu schauen, mit denen sie über die Aubergine streicht, war da ein ganz kleiner, kaum hörbarer Seufzer oder wünscht er sich das nur? Da braucht er nur in ihr Gesicht zu schauen, sehen, dass ihre Augen fast geschlossen sind, zugekniffen bis auf einen Spalt, so muss sie aussehen, denkt er, wenn sie mich in der Hand... wenn sie mit mir... wenn sie...wenn ich...

Er tritt hinter sie, irgend etwas zwingt ihn, hinter sie zu treten. Er berührt ihre Schulter, ihre nackte Schulter, die schweißnass ist, und er drückt sich von hinten gegen sie, damit sie seine eigene Erregung spürt. Fast hofft er, dass die bloße Berührung ihn kommen läßt, ihn befreit von dem dumpfen, roten Summen im Kopf, von dem pelzigen Geschmack im Mund. Er spürt den Blick der Marktfrau, da ist jetzt Neugierde drin, sie bringt das hoffentlich nicht mit den Auberginen in Verbindung, oder ahnt sie, weil sie selber...?

"Wir nehmen ein Kilo", sagt er laut.

Er sagt es so laut, dass ein paar Frauen sich umdrehen und lachen.

Auch Sabine dreht sich um und lacht. "Ein Kilo?" fragt sie leise. "Was hast du mit mir vor?"

Die Marktfrau packt mit beiden Händen vier Auberginen, greift sie wie ein Schwänze krallender Raubvogel, ein Habicht, ein Falke, ein Greif, legt sie auf die Waage. Sie schaut zu ihnen hin, fordert mit fragendem Stirnrunzeln eine fünfte, jene, die Sabine noch immer in der Hand hält, um die sie jetzt die andere Hand schützend legt, als ob sie sich wehren will gegen die Fortnahme, gegen den Zugriff der Marktfrau. Er hofft, der Griff gilt stellvertretend seinem schmerzenden harten Glied, er hofft... "Leg ihn mit auf die Waage", sagt er und wird sich des Artikel-Irrtums kaum bewusst. Er sieht mit Freude, dass sie sich nur zögernd trennt.

"Das ist aber mehr als ein Kilo."

"Macht nichts", sagt Bogdan zur Marktfrau.

Er kann nicht warten, bis sie bei Sabine sind, schon im Auto auf dem Weg zurück und als sie an der ersten Kreuzung halten müssen, holt er die Aubergine wieder aus der Einkaufkorb, er weiß, spürt und riecht, das ist sie, sie ist noch warm von ihren Händen, sie riecht nach ihrem Parfum. Er hält sie ihr entgegen. "Magst du sie?" Er will hören, was sie dazu sagt.

Sie gibt keine Antwort, sie nimmt die Aubergine, sie läßt sie unter ihrem langen Wollrock zwischen ihre Schenkel gleiten, er sieht, und er wird fast wahnsinnig vor Lust, atemlos, wie sie die Beine spreizt, wie die Aubergine, wie das lilabraune Monster unter ihrem Rock verschwindet, sieht, dass sich unter dem Rock etwas bewegt, zeitlupenhaft, während ihre Backen kreisende, langsam kreisende Bewegungen auf dem Autositz vollführen. Er greift selbst unter den Rock und meint für einen Augenblick zu spüren, dass das Ding in ihr verschwunden ist, in sie eingetaucht, meint ein schmatzendes Geräusch zu hören... dann grölen hinter ihnen plötzlich tausend Hupen, neben ihnen rast einer vorbei, am Lenkrad ruckend und zuckend, zeigt mit der Hand zuerst einen Vogel, zeigt dann aufgeregt und wütend auf die Ampel, verzerrt das Maul zu etwas, das wie das Wort Grün aussieht.

Bogdan weiß nicht, wie sie aus dem Auto ins Haus kommen. Nicht wann.

Er folgt ihr in die Wohnung, er folgt ihr ins Schlafzimmer, hinter einer angelehnten Tür ist da ein ungemachtes Bett. Unterwäsche, lachsrot. Ein BH. Er schaut zu, wie sie das Bett glättet, schaut auf den

Einkaufskorb, den er ihr abgenommen hat, den er auf beiden Händen hinter ihr herträgt, die lilabraunen Ungetüme wie eine Opfergabe auf dem Wege zum Altar, vorbei an andächtigen, Gebete murmelnden Menschen, umhüllt von Weihrauch und Myrrhe.

Sie wendet sich zu ihm hin. Sie nimmt sie wie eine Priesterin. Mit beiden Händen nimmt sie die warme lilabraune Aubergine aus dem Korb, sie hält sie zu ihm hoch an seine Lippen. Er küsst sie und schmeckt den Geruch aus der Tiefe ihres Leibes. Sie dreht sich mit langsamer Bewegung von ihm weg, sie legt die lilafarbene Aubergine auf das hellblaue Laken aus glänzendem Satin.

Der lange Rock gleitet an ihr hinab, darunter trägt sie ein Höschen mit weiten Beinen, sie zieht es nicht aus, sie legt sich neben die Aubergine, sie spreizt die Beine, kurze pummelige Beine, sie zieht ihre Knie bis fast zu den Brüsten hoch. Ihre Hand sucht nach der Aubergine, tastet nach ihr, jetzt sind ihre Augen ganz geschlossen. Er sieht: Die Aubergine, lilabraun. Er sieht ihren feucht glitzernden Busch, rötlich, weiße Haut schimmert hindurch. Er sieht die sich verdunkelnde Höhle. Er spürt, dass ihm schwindlig wird, er lehnt sich gegen die Wand. Der Duft ihrer Öffnung trifft ihn wie ein Blitz.

"Ja", sagt er. Ja", hört er sich sagen, "ja", als er sieht, wie ihre Hand den grünen Stengel der Aubergine umfasst und den monströsen Phallus mit drehender Bewegung langsam durch den Busch hindurch in ihre Höhle zwingt.

Sie flüstert. Es sind kleine Wortfetzen, trunkene Vokale, die er nicht versteht und doch versteht, sie drängen wie lallender Hauch aus ihrem Mund, berühren kaum die Lippen, bewegen sie kaum, und plötzlich beginnt sie laut zu stöhnen und wirft sich herum auf den Bauch. Sie spreizt dabei die Schenkel, und er sieht das lilabraune Monstrum tief in ihrem Schoß, der grüne Stengel schaut heraus, er sieht, wie der Damm sich gedehnt, und die Distanz zu ihrer anderen Öffnung aufgehoben hat. Er sieht, dass ein Muskel diese Öffnung pulsieren lässt, sie langsam öffnet, langsam schließt...

Er zieht sich nicht aus. Er ratscht mit den Fingern an den Knöpfen seiner Hose entlang. Ein Knopf reißt ab, er klickert zu Boden. Sein Glied drängt heraus, mit Erstaunen erkennt er, es ist nicht lilabraun, und es ist klein in seiner Erektion, klein im Vergleich zu den Monstern aus Marokko.

Er kniet sich hinter sie auf das hellblaue Tuch. Er teilt mit beiden Händen ihre Backen, er zieht ihr Höschen aus der Rille, er fasst sie unter den Bauch und hebt sie, bis sie kniet. Sein Glied findet seinen Weg allein, mit der Vorhaut hat er die Eichel umhüllt, das soll sein Eindringen erleichtern.

Er dringt ein, sie schreit. Sie beginnt mit den Fingernägeln auf dem Laken zu kratzen, sie beißt sich in die Hand, sie schlägt um sich, sie versucht, rückwärts greifend, seinen Hintern zu packen, um sein Glied tiefer in die enge pinkfarbene Öffnung hineinzupressen.

Er spürt dort, wo er ist, die nachbarliche Aubergine, er spürt den lilabraunen Schwanz in drängender Nähe, nur durch dünne Haut getrennt, und er kommt, und als sie kurz darauf noch einmal kommt, kommt auch er noch mal.

"Das hat wehgetan", sagt sie hinterher ein wenig vorwurfsvoll. "Du hättest Butter nehmen sollen."

Ihm kommt das vor wie ein Kochrezept und er muss lachen. Sie muss lachen. Beide lachen. Die lilabraune Aubergine ruht jetzt zwischen ihren Brüsten. Sie ruht sich aus. Sabine schiebt sie hoch zu ihrem Mund und drückt sie gegen ihre Lippen. Sabine schaut ihn an. "Komm, leiste ihr Gesellschaft", sagt Sabine.

5

*GERMAINE SINGT IM KIRCHENCHOR.*

Die Sonne spielt auf der gegenüberliegenden Seite des Zimmers mit einer Zeitschrift, die da auf dem Boden liegt. Die Sonne lässt einen in Regenbogenfarben aufgespaltenen Strahl fast unmerklich langsam über die Titelseite wandern. Die Zeitschrift hat mit Wohnkultur zu tun und mit Lebensart. Das sagt die Zeile unter dem Titel: Modern Home & Life-Style. Auf dem Titelbild ahnt Bogdan, weil er es aus Langeweile schon gesehen hat, eine Grillparty. Menschen, grundlos lachend. Ein Garten. Das Fleisch auf dem Rost. Der Mann trägt eine Schürze mit gekreuzten Löffeln. Er zeigt sehr weiße Zähne und hält ein Würstchen in einer Edelstahlzange. Die anderen halten ihm ihre Teller hin. Die anderen zeigen gleichfalls ihre Zähne.

Bogdan schließt die Augen, weil er das Bild aus den Augen verlieren möchte. Er tauscht es gegen ein anderes aus:

Antonio hat ein Schwein geschlachtet, sein Lieblingsschwein, das, mit dem er immer baden gegangen ist. Den Weg hinunter nach Cala Pujols, wenn mittags niemand auf der Welt war, wenn mittags alle in ihren Häusern saßen, um den von der Sonne durchglühten Stunden zu entgehen. Noch war Formentera leer, nur die Hippies waren da, die Hippies hatten es entdeckt, Antonio war hierher vor seiner Frau geflohen, vor seiner Frau, die alt geworden war wie er und doch ganz anders alt geworden war, so schrecklich alt, und die das Grauen ihres Alters hinter schwarzen, katholischen Tüchern verbarg.

Antonio hat das Schwein geschlachtet, das Schwein, mit dem er baden gegangen war, das Schwein, das einen Namen hatte, Antonia hieß das Schwein, so hieß auch seine Frau. Ein Vorderviertel liegt auf einem Stück Wellblech und brutzelt. Brutzelt seit Stunden. Antonio hat unter dem Wellblech ein langsames, kleines Feuer gemacht, damit es lange dauert, bis man isst. Alle, das will Antonio, alle sollen betrunken sein, oder high, oder high und betrunken, wenn das Schwein endlich fertig ist, denn dann ist es egal, ob das Fleisch zart ist oder zäh, salzig oder fad. Antonio macht die besten Parties auf Formentera, weil er warten kann. Wenn er die Paella macht, die Paella in der großen Pfanne für vierundzwanzig Esser, wartet er, bis alle da sind, wartet er, bis sie vor Hunger die Tuben mit dicker, süßer Kondensmilch der Küche ausgelutscht haben. Erst dann fängt er zu kochen an.

Den Wein hat er bei einem Bauern gekauft. Der Wein von Formentera taugt nicht viel. Er hat einen Beigeschmack nach Terpentin. Die Fässer, in denen er lagert, sind alt, sie werden Jahr für Jahr in der Saline im Salz entkeimt, damit der Wein nicht zu Essig wird, das ist der einzige Vorteil, der daraus wächst. Aber für Antonio müssen die Dinge so sein, wie sie sind: Das Schwein von der Insel, der Wein von der Insel. Auch der Marihuana kommt von der Insel, den lassen die Hippies auf dem Cap Berberia wachsen. Er wächst gut dort, und er kostet fast nichts, und die Dreckskerle von der Guardia Civil kommen da nicht hin, die vergnügen sich lieber damit, nackte Hippiemädchen am Strand von Mitjorn zu jagen und zu schlagen. "Und hinterher wichsen sie am Strand", sagen die Hippiemädchen und nehmen auf diese Art Rache für blaue Flecke und den Bocks-Gestank der prügelnden Bullen. Eine von ihnen, Lena, ein fettes Mädchen aus Schweden mit sanften Augen, hat in der Mauer der Polizeikaserne eine Boutique mit indischen Sachen aufgemacht. Sie hat den Laden Fuzz genannt. Die von der Guardia Civil wissen nicht, dass das new-yorkese ist und Bulle heißt. Die Hippies lachen.

Es sind viele Gäste bei Antonio. Sie lungern hungrig, ausgehungert um das brutzelnde Stück Schwein herum, viel zu essen haben sie nie, sie berauschen sich am Geruch, am Wein und am Marihuana. Die Mischung ist unwiderstehlich, der vom Geruch des Bratens angestachelte Hunger lässt den Wein und den Rauch im Bauch schneller wirken. Alle sind vor Hunger ganz benommen, das Viertel Schwein scheint ihnen viel zu klein, das diskutieren sie in friedfertigem Bedauern, aber nachher, wenn es fertig ist, wird es für alle reichen, Antonio weiß das, wenn er wartet, reicht es für alle. Sie sind dann so high, dass sie gleich kotzen müssen. Kaum haben sie etwas verschlungen, kommt es wieder raus. Antonio hat auch noch einen Sack Kartoffeln da, von denen er später welche nach Bedarf in die heiße Asche werfen wird. "Por si acaso", sagt er. "Für alle Fälle."

Eine Amerikanerin steht plötzlich neben Bogdan. Sie hat glänzende Augen, sie tränen vom Rauch. "Are you an acid head?" fragt sie ihn. Sie fragt direkt. Sie hat nicht einmal vorher "Hi!" gesagt. Sie ist eine Touristin. Sehr jung. Wahrscheinlich eine von jenen Studentinnen auf Europareise. Sie sind in diesem Jahr auch zum ersten Mal auf dem Inselchen aufgetaucht, gleich viele von ihnen auf einmal, da muss sich was herumgesprochen haben. Vielleicht hat ein Millionenblatt ein unentdecktes Paradies empfohlen. "Are you an acid head?" Ihre Frage ist wie ein Schnappschuss. Wie ein Foto fürs Album zur Erinnerung. Was man da alles gesehen hat. "Stellt euch vor, da war ein richtiger acid head."

Acid head. Die Frage soll heißen, ob er LSD nimmt. Viele nehmen in diesem Jahr LSD auf Formentera. Sie vereinen sich in Gruppen zu Trips, die manchmal Tage dauern und die nicht immer gut ausgehen. "Du musst gut drauf sein für einen solchen Trip", sagt Larry, der riesige Kanadier, der das Zeug, wer weiß woher, in Massen hat. Nicht alle sind gut drauf.

Bogdan schaut die Amerikanerin an. Wenn sie neunzehn ist, ist sie alt. Warum lassen sie die so früh allein losziehen, denkt er. Wie mag sie hierher gekommen sein?

Ein Bebrillter tritt neben sie. "Want another glass of wine, Gem?" Mit dem ist sie also von drüben gekommen. Eurorail-Karte. Rukksack. Geldtäschchen am Bändchen um den Bauch und im Höschen versteckt. Schlafsack. Europa kennen lernen. Seine Sünden, seine Laster. Kölner Dom: "Gosh, it´s so old! Heidelberg was full of Japanese! In Paris everybody cheats! Italians always try to touch your breasts! Germans wear Lederhosen!"

"Another glass of wine, Gem?" Sie nickt dem Bebrillten zu und sagt: "Sure!" Der zieht ab, und dann fragt sie noch einmal zielstrebig, neuer Schnappschuss, als ob das erste Foto nichts geworden ist: "Acid head?"

Was soll er sagen? Vermutlich erwartet sie, dass er einer ist. Und dass alle hier um das Schwein herum Schreckliches sind und Schreckliches tun: Schwule Säufer, Fixer. Leute, die kleinen Amerikanerinnen die Blusen aufknöpfen und an ihren milchweißen oder kaliforniabraunen amerikanischen Brüsten nuckeln wollen. Mannweiber mit Dildos, die ihre grässlichen Latex-Gummipfropfen niedlichen College-Mädchen aus dem Mittelwesten zwischen die Beine schieben wollen. Und weh soll's auch noch tun!

Bogdan hat für LSD nichts übrig. Es interessiert ihn nicht. Vielleicht hat er auch Angst davor. Warum nicht? Warum soll er nicht Angst davor haben? Was soll er antworten? Soll er sie enttäuschen? Ihr Europabild zerstören?

Statt einer Antwort schaut er ihr tief in die Augen und lässt sie in seinen lesen. Sie tut es mit Eifer. Er sieht, dass sie sogar die Lippen dabei bewegt. "I knew it!" sagt sie triumphierend "I knew it the moment I saw you!" Er nimmt wahr, dass sie am Hals rote Flecken bekommt. Er nimmt wahr, dass ihre Augen noch stärker glitzern. Jetzt kommt das nicht mehr vom Rauch. Die Reise hat sich gelohnt, dieser Abstecher zu den Hippies nach Formentera. Sie hatte es ja gleich gewusst.

Ihr Typ kommt zurück. Er hält in jeder Hand einen Blechnapf mit Wein. Einen gibt er ihr. "Wollen wir zum Schwein zurück, Gem?"

Sie schüttelt den Kopf. "Geh du. Ich komme später." Der Typ trollt sich gehorsam.

Sie gibt Bogdan aus dem Blechnapf zu trinken. "Ich heiße Germaine."

"Ein französischer Name."

"Daddy came from Canada. His parents were from France. Alle nennen mich Gem. Du kannst mich auch so nennen."

"Ok, Gem."

Jetzt wohnt sie in Elkart, dort, wo die Alka-Seltzer Tabletten gemacht werden. Auf die Uni will sie, wenn sie Europa gesehen hat. "I just finished college." Sie weiß noch nicht, was sie studieren wird. "Maybe philosophy. I like Nietzsche. Do you?" Sie spricht ihn "Neitschie" aus. Er würde gerne wissen, wie sie "Schopenhauer" sagt. "Shopping hour?" Im Kirchenchor hat sie auch gesungen. "I have a nice voice, you know?" Bei den Methodisten hat sie gesungen, weil Mammi die Tochter vom Küster war. "Bist du auch religiös?"

Bogdan schüttelt den Kopf. Wenn er es wäre, würde das alles verderben, spürt er.

Sie lacht, weil sie sich das eigentlich schon gedacht hat. "I knew it", sagt sie. "Das sieht man dir an." Dann wird sie ernst und missionarisch: "Christus ist für uns am Kreuz gestorben."

Er versucht, ernst zu blicken, damit sie den guten Kern in ihm sieht: "Das tut mir wirklich leid." Germaine soll wissen, dass da noch was zu retten ist. "Da hinten ist eine kleine Kapelle", sagt er für noch mehr guten Willen. Er zeigt übers Feld hinweg auf einen kleinen Wald. "Hast du sie schon gesehen?"

Sie hat noch nicht, will aber gern. "Ist sie alt?"

"Uralt."

"Alles in Europa ist uralt."

"Du bist jung, Gem."

"Fast achtzehn", sagt sie. "Wo soll ich meinen Wein hinstellen?" Sie schaut sich suchend um.

"Wir nehmen ihn mit."

"In die Kirche?!" Alarm! Bogdan hört die Glocken schrillen. "Wir nehmen ihn mit?!" Die roten Flecken an ihrem Hals sind größer geworden. Auch röter. "Das ist eine Sünde. In der Kirche Wein. Außer beim Abendmahl."

"Wir trinken ihn vorher. Auf dem Weg."

Das leuchtet ihr ein. Sie gehört zur Generation, die immer was zum Trinken bei sich trägt. Mineralwasser. Coke. Warum nicht mal Wein?- "Spain is different", das haben sie doch schon in den Prospekten gesagt.

Nach fünf Minuten sind sie in dem kleinen Wald, der bis zur Badebucht hinunterreicht. "Wo ist die Kapelle?" fragt sie.

Bogdan zuckt die Achseln. "Gestern war sie noch hier." Er schaut sich suchend um.

Sie starrt ihn an. Dann beginnt sie zu lachen. In ihrem Lachen ist ein Unterton von Panik. Machen Acid Heads im Wahn nicht fürchterliche Sachen? In New York da soll doch einer mal... und hinterher ist er aus dem Fenster gesprungen, und die alte Frau, auf die er gefallen ist, war auch sofort tot. Eine Stimme sagt in Germaine: "Du musst jetzt ganz ruhig bleiben, Gem." Natürlich sagt die Stimme das auf Englisch.

"Setz dich", sagt Bogdan noch ruhiger und setzt sich auf einen Baumstamm. Er zeigt ihr mit der Hand, wo. Sie setzt sich neben ihn wie ein braves Kind in der Kirche. Sie kreuzt die Beine übereinander und faltet die Hände über den Knien. "And now?" fragt sie.

Er sagt nichts. Er wartet. Germaine rutscht unruhig auf dem Baumstamm hin und her. "Why don't we go back to the others?"

Er reicht ihr statt einer Antwort den Blechnapf. Sie nimmt ihn und trinkt einen Schluck. Sehr wenig. Sie gibt ihm den Napf zurück. Sie schaut ihn fragend an. Bogdan trinkt auch.

Sie schweigen.

Sie dreht sich schließlich zu ihm hin. "I guess you want to kiss me", sagt sie. Das ist bei ihren Überlegungen herausgekommen. Man muss nett zu solchen Leuten sein. So tun als ob. Sie schließt die Augen und macht einen Mund wie im Kino. Sie legt den Kopf zurück.

Bogdan nimmt ihren Kopf in beide Hände. Er küsst sie. Sie küsst mit fest zusammengedrückten Lippen zurück. Angst und Erregung. Ein Kuss von einem acid head. In Elkart werden sie staunen. Den Mund werden sie nicht mehr zukriegen! Der Kirchenchor wird es nicht glauben. Nie!

Als sie unversehens seufzt, wahrscheinlich denkt sie an ihr Tagebuch, nutzt Bogdan die Gelegenheit. Er steckt ihr die Zunge in den

Mund. Sie will etwas sagen, protestieren, sie wehrt sich ein wenig, aber Bogdan hält sie fest. Es kommt nur ein kleines Geräusch, das wie "umph" klingt.

Mit dem Geräusch entweicht ihr Widerstand. Ihre Lippen werden weich, seine Zunge erfährt Antwort. Er zieht sie langsam aus ihrem Mund zurück, reizt ihre Zunge zur Verfolgung an, bis sie nur noch Millimeter entfernt voneinander atmen und ihre Zungenspitzen miteinander spielen. Sie lernt schnell. Sie küssen lange.

"French kisses", sagt sie aufgeregt nach einer Weile. Und: "It′s hot!" Sie nestelt drei Knöpfe an ihrer Bluse auf. "Fühl, wie heiß mir ist." Sie nimmt seine Hand und schiebt sie unter ihre Bluse.

Bogdan fühlt nicht Hitze, sondern dass ihre Brustwarze sich steif aufrichtet, als er sie berührt. Er hört, wie sie "mmmh" murmelt und dann heftig zu atmen beginnt. Längst hat sie nicht mehr die Hände über die Knie gefaltet. Längst hat sie nicht mehr die Beine übereinander geschlagen. Längst wartet sie, dass seine Hand sich zwischen ihre Schenkel schiebt und endlich "do it!" über den feinhaarigen Hügel streichelt, der sich deutlich unter ihren Jeans abzeichnet.

Ihre Europareise ist an der Klippe angelangt. Tief unten lockt ein warmes Bad im Meer. Sie hat noch nie einen Kopfsprung gemacht. Soll sie jetzt? Soll sie? Ja.

"No", sagt sie aber trotzdem, als er ihr den Reißverschluß herunterratscht und sie hochheben will, um ihr die Jeans unterm Hintern wegzuziehen. "Wir können es doch nicht hier draußen tun. We can′t do ist out here!"

"Warum nicht?" fragt Bogdan.

"Und wenn einer kommt?!"

"Wenn keiner kommt, wär′s schade, dass wir es nicht gemacht haben", sagt Bogdan. Acid head Logik. Er legt noch eins drauf: Er hebt sie hoch und dreht sich mit ihr. Er schiebt dabei ihre Jeans immer tiefer bis zu den Knien. Er greift von hinten in ihren Slip, und schiebt eine Hand an der Spalte ihrer Backen entlang bis hin, wo die

Haare buschig beginnen, und wo er Nässe wahrnimmt. "Oh!" sagt Germaine alarmiert in sein Ohr. "Don´t!"

Er stellt sie auf den Boden zurück. "Zieh die Jeans aus", sagt er schmucklos, ohne zu bitten. Sie folgt gehorsam. "Jetzt den Slip." Auch das tut sie. Beide Male sagt sie "No" während sie es tut. Wohl nicht zu ihm. Wohl zu sich selbst. Wohl für ihre Mammi.

Germaine steht vor ihm. Germaine hat nur noch ihre Bluse an. Die Bluse ist noch mit einem Knopf verschlossen. Eine ihrer Brüste ist frei, die andere verbirgt sich hinter dem Stoff der Bluse. Die Bluse ist dünn. Die Bluse it nass von der Hitze des Tages und von ihrer. Die Bluse klebt am Körper. Eine Brustwarze sticht rosabraun und spitz durch sie hindurch.

Er betrachtet sie eine Weile. Er sieht, dass die Flecken an ihrem Hals verschwunden sind. Er sieht, dass sie dasteht, wie ein kleines Mädchen im Kirchenchor, den Kopf ein wenig schräg, die Beine ein wenig auseinander. Unbeholfen. Sie hebt eine Hand zur Brust, um sie zu decken. Er sieht, dass zwischen ihren Schenkeln der Saft der Erregung in kleinen silbernen Perlen glitzert. "Sing etwas!" befiehlt er.

Sie starrt ihn verständnislos an. "Singen?!"

Er lacht. Er macht einen Schritt auf sie zu. Er hebt sie hoch und legt ihre Beine um seine Taille herum. Er geht rückwärts, bis er den Widerstand einer Pinie im Rücken fühlt. Er lehnt sich dagegen. Er knöpft seine Hose auf und schiebt sein Glied behutsam in sie hinein. Vorbei an den nasssen Haaren, vorbei an der feuchten Wulst, hinein in ihre warme, weiche, weit geöffnete Höhle. "You´ve been waiting for this, Gem."

"Yeah", sagt Germaine. "Yeah!"

Es ist, als ob er eine Maschine gestartet hat. Es ist, als ob nur ein Funke einer Zündkerze genügt hat, um diesen Motor anspringen zu lassen. Germaine beginnt zu vibrieren. Ihr Bauch klatscht gegen seinen Unterleib. Und sie kommt sofort, fast sofort, in einer hüpfenden Serie von Orgasmen, die ihr Mund mit kleinen atemlosen Quietschern begleitet. Und Bogdan hält ihren Hintern in beiden Händen, lässt seine Finger in ihre Backenspalte sinken, sondiert dort mit einem Druck nach vorn die andere Öffnung, die sich willig darbietet, halb geöffnet schon und wartend. Sie sitzt auf seinem Bauch wie auf einem Stuhl, er schiebt sie auf sich hinauf, er stülpt sie sich über, und Germaine kommt von Neuem, noch einmal, noch einmal.

Bis er so weit ist, bis die Hitze in ihm sich zu einer dünnen weißen Flamme formt, ist sie Dutzende Male gekommen. Sechs Jahre Pubertät und Phantasie nehmen Abschied und verlassen das Haus. Jetzt wird sie mit seinem Glied gemeinsam schlaff, hängt erschöpft in seinen Armen, mit geschlossenen Augen, die Arme um seinen Hals geschlungen.

Er geht mit ihr zum Baumstamm zurück, auf dem sie gesessen hatten, er trägt sie wie ein Kind auf dem Arm. Er setzt sie sanft ab. Er hält sie im Arm, bis sie die Augen wieder öffnet. Sie schaut ihn an, wie aus einem Traum heraus. "I never had that before, I mean REAL orgasms!" Sie überlegt und sagt dann: "That was good." Als ob er ihr ein Eis spendiert hätte.

Plötzlich wird sie von Panik gepackt, sie fällt fast vom Baumstamm, sie grabscht nach ihrem Höschen auf dem Boden, sie zieht es über, dass es reißt, sie zieht die Jeans verkehrt herum an, er muss ihr helfen, er muss sie beruhigen.

Sie hat da was geahnt, denn hinten werden Schritte hörbar, knacken Äste, und dann schreit einer fragend "Gem?! Germaine?!"

"Es ist dein Typ", sagt Bogdan. Er hilft ihr, die Jeans zuzuknöpfen, er stopft ihr die Bluse hinein. "Melde dich. Sag was!"

"I´m here!" schreit Germaine mit unsicherer Stimme. Dann fester: "Over here!"

Der Bebrillte wird zwischen Büschen und Bäumen sichtbar. Er balanciert zwei Blechnäpfe Wein in den Händen. "What are you doing here? With that man?" fragt er argwöhnisch. Er starrt Bogdan an. Er setzt die Brille ab und putzt sie am T-Shirt, auf dem steht: "Spain is for Lovers", er setzt sie wieder auf. Starrt jetzt mit schärferem Blick.

"Wir haben Wein getrunken und getanzt und gesungen", sagt Germaine. Dann zeigt sie auf Bogdan: "Weißt du, was das für einer ist?"

Der Typ schüttelt den Kopf. Er kann sich nicht vorstellen, was Bogdan für einer ist.

"He is an acid head", verkündet Germaine stolz. Auch mit einem Schauder in der Stimme. "I asked him, and he said he was. He admitted it!"

"Really"? fragt der Typ interessiert. "Really? Isn´t that dangerous?" Er setzt sich auf den Baumstamm. Germaine setzt sich zu ihm. Bogdan setzt sich zu ihm.

"Erzähl ihm was von deinen Trips", sagt Germaine, als ob sie Bogdan dafür angeheuert hat, als Unterhalter. "Er war übrigens gerade auf einem", fügt sie für ihren Typ hinzu und schaut Bogdan dabei an. Kühl wie ein Kirchenchor.

Während Bogdan erzählt, was ihm dazu einfällt, sieht er, wie Germaines Jeans um diesen scharf markierten Spalt herum sich dunkel färben von der Nässe nachfließender Lust.

Der Typ hat jetzt nur noch Augen für ihn.


6

*DER POSTBOTE KOMMT*


"Ich muss geschlafen haben", denkt Bogdan. "Ich muss eingeschlafen sein." Jetzt hat er Geräusche gehört. Sie kommen von draußen und von unten. Das große eiserne Gartentor hat gequietscht, das kann nur der Postbote sein. Er verfolgt mit den Ohren den Weg des Postboten vom Gartentor über den gepflasterten Weg zum Haus. Er erkennt den Postboten an seinem schweren Schritt, dass er nichts sagt, wundert ihn, normalerweise ruft er: "Bon jour! Le courrier!" Er ruft es mit dieser tiefen schwarzen Stimme und mit dem komischen Akzent. Heute schlurft er nur den Weg entlang, vorbei an den Blumenbeeten mit Callas und Hortensien, vorbei an den Hibiskussträuchern, die Bogdan alle selbst gepflanzt hat, vorbei an der Kamelie, die er von seiner alten Nachbarin bekommen hat, ein Ableger ihrer eigenen Kamelie. Kamelien sind nicht leicht zu ziehen, aber die Nachbarin hatte ein Talent dafür, das sagten alle, das sagte vor allem sie selbst. Und sie war stolz, als Bogdan sie bewundert hat um ihre eigene, baumgroße Kamelie mit den tausend Blüten zur Weihnachtszeit,. Da hat sie zufrieden und geschmeichelt gelächelt, und dabei ein bisschen geschwitzt vor Stolz. Und sie hat ihm eines Tages in einem Blechtopf, der vorher wohl einmal Rattengift beherbergt hatte, denn die Lackreste ließen eine auf dem Rücken liegende Ratte mit aufgerissener Schnauze ahnen, einen Ableger gebracht, ihn selber an selbst ausgewählter Stelle eingepflanzt und mit vielen guten Ratschlägen in seine, Bogdans, Verantwortung entlassen.

Inzwischen ist aus dem Ableger ein meterhoher Strauch geworden, selbst schon ein Objekt der Bewunderung. Die alte Nachbarin ist tot, Fettleibigkeit und Gicht haben sie unter die Erde gebracht, als sie erst in den Siebzigern war, ihr Mann, der nicht ihr Mann war sondern ihr Bruder, und den sie, damit sich niemand etwas dabei dachte, konsequent mit Sie angeredet hat, war wenige Monate später auch tot. Ihm fehlte der tägliche Streit, der ihre Bruder-Schwester-Beziehung durch ein Menschenleben hindurch begleitet hatte, ihr ewiges Nörgeln, das ihn aufs Feld und in den Ziegenstall getrieben hatte, während sie, immer noch nörgelnd, ihm Essbares kochte und die Hosen wusch.

Der Postbote ist jetzt an der Kamelie vorbei, er weicht der Bougainville aus, die neben der Küchentür mit ihren stacheligen, wuchernden Zweigen droht. Bogdan verfolgt seinen Weg mit geschlossenen Augen. Jetzt schiebt er die Tür auf, tagsüber ist sie nur angelehnt. Und er sagt immer noch nichts. Warum sagt er nichts? Bogdan will das fragen, er bringt keinen Laut heraus, dann vergisst er es wieder: Das Geräusch!

Bogdan spitzt die Ohren, er hört ein unterdrücktes Flüstern, ein leises Scharren. Jetzt plötzlich raschelt etwas, er versucht zu erhören, was das sein kann. Es kann, der Gedanke steigt ihm rot ins Hirn, es kann nur der Rock von Krystina sein, was geht da unten vor? Er will aufstehen, aber er kann nicht vom Fleck, er ist angekettet an dieses Bett. Er spürt die Ketten, sie sind überall, sie fühlen sich an wie klebrige dicke Spinnweben, und sie klirren leise, so, als ob die Spinne daran rüttelt. Er möchte etwas sagen, vielleicht: "Ist die Post gekommen, Krystina?" Kein Wort kommt. Er muss reglos im Bett liegen und lauschen.

Der Postbote ist ein riesiger Bursche, er spielt, hat man ihm erzählt, in der Basketball-Mannschaft. Er hat schneeweiße Zähne in seinem schwarzen Gesicht und, wohl als Echo seiner Pubertät, die kaum ein halbes Jahrzehnt zurückliegen kann, immer noch bläulich-schwarze Pickel auf den Wangen und auf der Stirn.

Bogdan weiß plötzlich, was da unten vor sich geht. Er sieht es. Der große, plumpe Kerl mit seinen dicken Pfoten streichelt Krystina über ihren Hintern. Den Rock hat er ihr schon ausgezogen, er liegt am Boden wie ein Kranz um ihre Füße. Der Kerl macht ihr ein Zeichen: „Steig raus!" Er schiebt sie, mit den Pfoten auf ihrem weißen Bauch, aus dem Kreis heraus. Er hebt sie hinüber! "Weg da!" will Bogdan sagen.

Krystina hat ein winziges Höschen an, hinten ist es eigentlich nur ein Bändchen, das ihre Backen durchfurcht, vorn ist ein ein kleines Dreieck, auf dem eine blasse rosa Rose blüht. Er, Bogdan, hat ihr dieses Höschen geschenkt, das ist schon lange her, aber er erinnert sich noch heute daran, wie er es gekauft hat, wie die Verkäuferin gekichert hat, gekichert hat sie hinter vorgehaltener Hand zu ihrer Kollegin hin, und sie hat ihn immer wieder neugierig von der Seite angeschaut. Cypresse hieß die Verkäuferin, sie haben sich am nächsten Tag getroffen, Cypresse und er.

Das Geräusch unten ist lauter geworden. Bogdan weiß, was da jetzt geschieht. Der Postbote hat Krystina zur Wand geschoben, hat sie mit dem Gesicht zur Wand gedreht. Sie stützt sich mit den Händen gegen die Wand, sie hat die Beine gespreizt.

Der Postbote kniet hinter ihr. Er fährt mit der Zunge durch die Spalte ihrer Backen, er hält ihre Backen mit beiden Händen umfangen, wie ein betender Moslem sieht er dabei aus, er fischt mit der Zunge das Bändchen aus der Furche ihrer Backen, aus der tiefen Furche, die den Hintern von Krystina wie die Hintern dieser Muskeltänzerinnen erscheinen lässt, die er einmal in Melbourne gesehen hat, er packt das Bändchen zwischen seinen Zähnen und schüttelt es, wie ein Hund seine Beute schüttelt. Vorn drückt dieser winzige Fetzen Stoff gegen Krystinas Venushügel, er weiß, Bogdan weiß, was der Druck dort auslöst, er weiß, dass Krystina jetzt unter diesem Druck entflammt, heiß ganz heiß wird im Bauch und hilflos diesem jungen Scheißkerl mit seinen Basketballer-Pranken ausgeliefert ist. Er hofft inständig, dass der Kerl nicht weiß, wie er Krystina jetzt zur Raserei bringen, wie er sie von einem zuckenden Orgasmus in den nächsten schleudern kann, und er sieht mit Entsetzen, dass der Postbote es doch weiß, wie oft hat der verdammte Dreckskerl es schon mit ihr gemacht, um alles, das alles zu wissen? Der Postbote greift von hinten durch Krystinas Schenkel, legt seine Pfote auf den Hügel, spreizt zwei Finger auseinander, klemmt dazwischen ihren Kitzler ein. Drückt ihn, zieht an ihm.

Krystina antwortet mit einem heiseren keuchenden Seufzer. Dann plötzlich liegt das Höschen auf dem Boden, dann plötzlich streckt Krystina ihren weißen wunderbaren, ihren mondrunden Hintern weit nach hinten, und der Kerl, der verdammte, der verdammte lüsterne Basketballspieler, umfasst die Backen wie einen Ball, und, wann hat er dieses riesige Glied aus der Hose geholt? Es liegt bläulich-schwarz und aufgequollen in seiner Hand. Er spreizt Krystinas Backen mit zwei dicken Fingern und schiebt sein Ungeheuer langsam und tief und immer tiefer in Krystina hinein. Bogdan erlebt das alles mit, Bogdan ist das Glied, Bogdan drängt sich langsam durch den feuchten, roten Eingang ihrer Höhle, lässt sich von Nässe ertränken und von Duft betäuben.

Bogdan hört das Kratzen von Krystinas Fingernägeln an der Wand. Bogdan hört das Hecheln des Postboten, er knurrt wie ein Hund, das wird immer lauter. Bogdan hört und sieht, wie ihr Fleisch sich schmatzend verklebt, sieht den glitzernden weißlichen Saft, den der Kerl aus Krystina herauszieht, der sein Glied cremt und es mit jedem Mal tiefer eindringen lässt. Bogdan hört Krystinas kurzes "Ah!", abgehackt, als ob es in der Kehle stecken bleibt. Es kündet, er weiß es aus ihren tausend Begegnungen, den großen, den endgültigen Orgasmus an.

Der Kerl, der weiß das auch, er weiß, er muss sich jetzt beeilen, Krystina wird von der Wand herabsacken, auf dem Boden liegen, leblos wie das winzige Höschen, Cypresse, die hatte auch so eins an, Cypresse in ihrem kleinen Zimmer mit den Erinnerungen aus ihrer Kinderzeit, Stoffpuppen, ein Panda-Bär, das Foto von der Kommunion, Cypresse, die hinterher sagte: "Schenk mir was, cheri." Und die dann sagte: "Komm wieder, wenn du mich so gemocht hast, cheri." Er ist noch oft zu ihr gegangen. Am Ende kannte er die Namen der Puppen und des Panda-Bärs.

Der Kerl stöhnt, sein Knurren und Hecheln ist dumpf geworden, wahrscheinlich... "...er hat ihre Brust im Maul", denkt Bogdan. "Ihre Brust!" Krystina windet sich unter seinen Pfoten, die ihren Hintern umklammern, aufgespießt von seinem Glied, das jetzt immer schneller in sie hineinstößt.

Sie kommen beide gleichzeitig, Bogdan sieht wie Krystina in sich zusammensackt, er sieht, wie die Pfoten des Postboten ihren Halt um Krystinas Hintern verlieren, er sieht, wie das Sperma des Postboten ins Leere spritzt, gegen die Wand prallt, von dort aus langsam und zäh nach unten sackt, Krystinas Hände erreicht.

Der Postbote hört nicht auf zu spritzen, sein Glied zuckt, er hält es in der Hand, er grinst, er führt sein Glied wie einen Schlauch in alle Richtungen, er bespritzt den Tisch, er bespritzt den Sessel, in dem Bogdan abends sitzt, er bespritzt Krystinas Haar.

Krystina, noch fast ohnmächtig vom Schock ihres Orgasmus, hebt ihr Gesicht zu ihm empor, "bitte nicht mehr!" flehen ihre Augen, "jetzt nicht mehr!" Aber sie öffnet dennoch den Mund, um aufzunehmen, was auf sie herabtropft, und erst dann, erst dann beginnt der Postbote sein Glied wieder einzupacken, fast gemächlich tut er das. Und gemächlich schlenkert er ein Bein, um Platz zu schaffen, seine Hose zuzuknöpfen. Bogdan hört, wie er grußlos geht, hört Krystinas Flüstern: "Bis morgen! À demain."

Bogdan sieht und hört, wie sie sich langsam erhebt, wie sie über ihr Gesicht wischt, fast staunend die klebrige, fade riechende Flüssigkeit in ihrer Hand betrachtet, seufzend nach dem Höschen greift, es wieder anzieht.

Er wartet, bis sie auch den Rock wieder anhat, die Bluse zugeknöpft, das Gesicht mit einem Papiertuch gereinigt, erst dann sagt er: "Krystina?!"

Er bekommt keine Antwort.

"Krystina!!!" Er brüllt.

Sie lässt sich Zeit. Sie tut, als ob sie von weit her kommt, von irgendwo aus dem Garten, sie lässt absichtlich die Tür laut knarren, als ob sie ins Haus tritt: "Hast du mich gerufen?"

"Was gibt es für Post?"

"Er war noch nicht da. Er ist erst unten am Weg. Du musst dich noch gedulden. Willst du einen Kaffee?"

Er will sie nicht sehen. So nicht, in dem Zustand nicht, nicht mit diesem Ausdruck matter, satter Zufriedenheit im Gesicht. Nicht mit dem Sperma des Postboten auf den Lippen. Nicht mit dem Gesicht, das Katzen machen, wenn sie Milch getrunken haben. "Nachher, wenn Du mir die Post hochbringst. Nachher."

Er hört sie unten in der Küche mit den Tassen hantieren, hört, wie sie Wasser in den Kessel schüttet, hört wie sie das Streichholz anreibt, hört, wie sich das Gas mit leisem Knall entzündet.

Danach ist da eine weiche, weiße Weile, in der er an nichts denkt und nichts fühlt, und dann ist Krystina mit dem Kaffee da und mit der Post.


7

*ELA UND DER SCHIFFER.*


"Lieber Freund,

anbei findest du dein Manuskript mit ein paar Anmerkungen. Ich finde es hat einen guten Beginn, und ich sage dir nicht, was meiner Ansicht nach noch verbessert werden könnte, weil es ja erst zur Hälfte fertig ist. Darf ich dich bitten, den Rest recht bald zu erledigen, oder besser: Umgehend. Die Zeichnungen deiner Freundin sind hier schon angekommen, ich werde nicht alle nehmen können, mehr als drei trägt die Geschichte nicht. Irgendwann musst du mir erzählen, was es mit der Story auf sich hat. Ist das ein eigenes Erlebnis?

Weihnachten werde ich in der Nähe sein. Hast du Lust, auf ein paar Tage nach Antigua zu kommen? Es wäre schön, dich zu sehen. Lass hören. Und vergiss das E-Buch nicht. Ich will es zum nächsten Herbst herausbringen. Kommt es voran?"

Er legt den Brief beiseite.

Das E-Buch soll eine Sammlung erotischer Geschichten werden. Sie haben es so genannt, weil ihnen noch kein Titel dafür eingefallen ist.

Der Rest des Briefes handelt vom Verlegergeschäft, das wie immer schlecht geht und mühsam ist. Handelt vom ewigen Stress und vom vielen Ärger. Handelt von den schlechten Verkäufen und dem wenigen Geld, das ihm zusteht.

Er beschließt, das Manuskript zu lesen. Er wirft einen Blick auf die andere Post. Eine Postkarte. Sie ist von Daniel. Daniel! Er schreibt, dass er Weihnachten auf Antigua verbringen wird. "Daniel", sagt er. "Jetzt bist du schon wieder hier. Verpiss dich, Daniel! Hau ab!" Er wirft die Postkarte unter das Bett. "Krystina soll sie nicht sehen", sagt er. "Aber sie hat sie dir gebracht", sagt Daniel von der Postkarte her. Er lacht.

Bogdan nimmt das Manuskript in die Hand: "Die Wahrheit" liest er laut. Dann liest er lautlos weiter:

"Als Gregor versuchte, die Tür aufzuschließen und nachdem er, weil er die Schlüssel nicht kannte, schon eine Weile vergeblich gefummelt hatte, wurde sie plötzlich von innen geöffnet. "Nanu", sagte er. "Und ich dachte, du wolltest zu deiner Tante nach Friesland?" Er war wirklich erstaunt.

Sie stand vor ihm und lachte. Sie streckte dabei den Bauch vor und stützte die Fäuste in die Hüften. "Ich habe es mir anders überlegt. Offen gestanden, ich hatte nie vor, zu meiner Tante zu fahren. Das sollte nur den Moritz beruhigen. Damit er nicht misstrauisch wird." Sie lächelte ihn an. Ihr Lächeln sagte, was sie wollte.

Er. In einer Anzeige und auf der Suche nach einer Partnerin hatte er sich so beschrieben: Weitgereist und weltläufig. Ende vierzig. Groß und dunkelblond. Mit Lust und Liebe an neuer Gemeinschaft interessiert. Nebenher nicht gerade arm."

Bogdan legt die Blätter vor sich aufs Bett. Sieht er heute noch so aus? Er schaut in die Fensterscheibe. Sie wirft sein Spiegelbild zurück. Er ist dicker geworden. Er hat weniger Haare. Die Haare werden grau. Die Nase ist scharf und lang geblieben, Nasen ändern sich nicht, denkt er. Ohren werden größer. Er trägt jetzt eine Brille, wenn er liest. Damals hat er er noch keine nötig gehabt.

Er nimmt die Blätter erneut in die Hand und liest:

"Auf die Anzeige hin waren 87 Briefe gekommen und zwölf Postkarten. In vielen Briefen waren Ganzfotos gewesen, manche gewagt. Aus vielen Briefen fielen auch verwelkte Blumen, überwiegend Röslein und Vergissmeinnicht. Eine Orchidee war dabei gewesen und hatte mit ihrem Saft den Absender verschmiert. Gerade noch hatte er Susanna ...owski lesen können und auf dem Poststempel Köln. Das war eine hübsche Schlanke, wenn das Foto nicht log, mit kastanienbraunen Haaren, deren Färbung sie zugab und mit unendlicher Sehnsucht, endlich den Mann zu finden, der sie für immer in die Arme schloss. So sagte das, was an dem Brief noch leserlich war. Ihr Mund versprach Appetit auf unendlich viele Begegnungen.

Vielleicht wäre das die Richtige gewesen, bei den anderen war die Richtige jedenfalls nicht dabei. Vielleicht hatte er auch gar nicht wirklich nach der Richtigen gesucht.

Er hieß Gregor. Meistens nannten sie ihn Greg."

Bogdan schaut hoch. Greg. Ist der Name in Ordnung? Passt er er zu ihm? Er zuckt die Achseln. Das Wichtigste war das nicht. Ich werde ihn vielleicht umtaufen, denkt er. Weiter:

Sie. Den Mann, den sie da nicht misstrauisch machen wollte, hatte sie eigentlich nie heiraten wollen. "Moritz war Ersatz für Volker, weißt du. Weil aber Volker die Mimi geheiratet hat, und Mimis Freund die Rosa, habe ich der Tulli den Moritz weggenommen. Tulli war Volkers Schwester und Rosa die Cousine."

"Das klingt wie Vendetta", hatte Greg vermutet. "Familienrache."

Sie zuckte die Achseln. "Mag sein."

Inzwischen durchlief sie ihr viertes Jahrzehnt und hatte begonnen, auf ihr Leben zurückzublicken. Was war? Was konnte noch kommen? "Wir hatten von Anfang an eine Oma-Opa-Ehe, Greg." Das sollte er aber erst später von ihr hören.

Schlecht sah sie nicht aus. Gut auch nicht. Sie war an achtzehn Jahren Ehe stumpf geworden wie ein Messer an altbackenem Brot. Ihrem Mann Moritz ging es nicht anders. Beide hatten sich in einen Zustand resignierter Hoffnungslosigkeit gebracht. Sie krochen nebeneinander her durch ihr Leben, jeder durch seins. Was von ihnen geblieben war: Zwei erträglich aussehende Leute, der Art, wie man sie in den Frühstücksräumen der billigeren Hotels trifft. Ein bisschen grau, ein bisschen hoffnungslos, ein bisschen an dem Punkt angelangt, an dem es sich nicht mehr lohnt, etwas dagegen zu tun.

Moritz war Gregs Freund. Sie kannten sich schon lange. Greg hatte miterlebt, war Zeuge geworden, wie Mann und Frau im Vakuum der Gleichgültigkeit zu atmen aufgehört hatten. Moritz hatte seine Atemluft an anderem Ort gefunden: Im Beruf. Elsbeth, deshalb nannte sie sich Ela, hatte ihren Beruf aufgegeben und das Leben dort gesucht, wo es auch nicht zu finden ist: In der Selbstfindung. Der Yogalehrer kam aus Südamerika und hatte in Deutschland einen Schwarm Frauen gefunden, die ihn bewundernd umflatterten. Von der drei Männer-Minorität im Kurs war einer mit Sicherheit schwul. Der Zweite war seiner Frau zuliebe mitgekommen, weil sie sich und der Welt beweisen wollte, dass er emanzipiert war. "Wir wollen uns gemeinsam selbst finden." Der Dritte stotterte, und später kam heraus, dass er den Einführungskurs auf einer alternativen Tombola gewonnen hatte, zusammen mit einer gut erhaltenen Getreidemühle, es war der zweite Preis gewesen. Danach hatte ihm die Sekretärin des Yogalehrers einen Anschlusskurs verkauft.

Die Frauen liebten den Yogalehrer. Ela auch. Abgöttisch! "Er strömt etwas aus", sagte sie, wenn sie von ihm redete. Dann bekam sie große Augen und setzte sich in eine Position, die wie der allbekannte Schneidersitz aussieht, in Wirklichkeit aber Buddhas Lieblingsposition gewesen war, denn alle Bilder zeigten nicht nur die Schneider so, sondern auch ihn. Ela kannte auch den Namen der Position und sprach ihn mit Verehrung aus.

Yoga gab sie auf, als der Lehrer das, was er so kräftig ausstrahlte, in die falsche Richtung lenkte. "Ich werde nie begreifen, was er an dieser Zicke finden konnte."

Immerhin hatte Yoga etwas in Ela losgetreten. Sie begann heftige

Frauenfreundschaften und glaubte lange Zeit, dass das für den Oma-Opa-Alptraum ihrer Ehe ein wirksames Gegengewicht war. Moritz musste oder durfte erleben, dass oft, wenn er aus dem Büro kam, blumengeschmückte Frauen in der Küche herumsaßen, Tee tranken, Räucherstäbchen verbrannten, New Age Musik hörten und sich ohne erkennbaren Anlass umarmten. Einige hatten inzwischen ihr Haar mit Henna gefärbt, und Ela begann Saris zu tragen und übergab ihre Kleider aus der vorhergegangenen, inzwischen als niedriger erkannten Lebensstufe, dem Sack vom Roten Kreuz. Sie begann verzweifelt, sich zu mögen und demonstrierte das dadurch, dass sie von Küche bis Klo und Bügelzimmer alle Wände mit Fotos aus ihren verschiedenen Lebensphasen pflasterte.

Aber das war nur ein Schritt auf dem Weg, der, wie der Yogalehrer immer wieder betont hatte, das Ziel war. Die weiteren Schritte Elas bewegten sich schon auf Greg zu, denn er hatte den Frauen eins voraus: Er war ein Mann. Mehr noch: Er war ein Freund des Hauses, wohlgelitten bei Moritz. Und schließlich: Er war hinter Frauen her. Immer schon, aber jetzt noch schlimmer. Wo er seit einiger Zeit lebte, trugen die Frauen Schleier vor den Gesichtern.

So war es schließlich zu diesem Augenblick an der Wohnungstür gekommen. Geduldig hatte Ela ihr Netz gesponnen, als er wieder einmal zu Besuch in Deutschland war und auf der Rundreise ein paar Tage bei ihnen wohnen wollte: "Es wird leider niemand da sein, wenn du aus Berlin zurückkommst. Moritz muss nach München. Ich muss zu meiner Tante nach Friesland."

Aber Moritz hatte Rat gewusst: "Du kannst den Schlüssel haben. Dann brauchst du die letzte Nacht vor dem Rückflug nicht im Hotel zu schlafen."

Nun stand Ela vor ihm. Sari trug sie nicht mehr, das war ihr aus der Mode gekommen. Dafür hatte sie eine weite Hose mit Dreiviertelbein an, die sie nicht kleidete. "Aber sie gibt mir ein Gefühl von Freiheit", hielt sie dagegen. Auch der lange Wollschal, den sie sich um Bauch und Brust geschlungen hatte, gab ihr wohl ein solches Gefühl und nicht zuletzt die übergroße Ballonmütze, die ihren Kopf unnötig klein erscheinen ließ. "Stell dein Gepäck ab und lass uns einmal um den Pudding gehen."

Um den Pudding, das bedeutete zum Fluss, dort ein Stück nach Norden und dann wieder zurück. "Und dann gehen wir was essen, ok?"

Greg war es recht.

Danach, auf dem Weg zurück war es dunkel, und Ela steckte ihre Hand in seine Manteltasche, suchte und fand dort seine. Sie fand ebenfalls, dass das Essen gut gewesen war, bis auf den Wein, denn davon verstand sie was, weil Moritz einen Keller voll davon hatte. Sie bemerkte, als ihr der Gesprächsstoff ausging, den Mond am Himmel und blieb stehen, um ihn zu betrachten. Sie fragte ihn, ob der Mond in Agadir auch so schön sei. Sie lehnte sich an ihn und seufzte. Sie zog seine Hand aus der Manteltasche und schob sie unter den Schal auf ihre Brust. Die Brust war hübsch und fest, sie verriet das Alter nicht, und sie bebte unter seinen Fingerspitzen.

Im Wohnzimmer legte sie eine Platte von Narciso Yepes auf und sagte: "Ich finde spanische Gitarre immer wieder schön." Er bekam einen Cognac und noch einen von den Guten, die Moritz sammelnd in der Bretagne eingesackt hatte und wie seine Augäpfel hütete. Sie versuchte, Yepes Musik zu summen und schaute ihm dabei tief in die Augen. Sie nahm sich einen Calvados, kippte ihn hinunter und fragte, wobei sie den Satz hastig hervorstieß: "Wollen wir schlafen gehen?" Nachdem sie das gefragt hatte, schmiedete sie das Eisen, indem sie hinter Greg trat und seine Schultern massierte. Sie rieb dabei ihre Brüste gegen seinen Rücken und flüsterte: "Oh Greg!"

"Was wird Moritz dazu sagen?" wollte Greg fragen. Aber er wusste, dass die Frage überflüssig war, denn was Moritz dazu sagen würde, konnte er sich denken. Moritz war Sammler. Moritz sammelte alte Gläser und Feuerzeuge. Postkarten und Messingleuchter. Bierdosen. Auch Ela gehörte in seine Sammlung, obwohl sie in keine der Kategorien so recht hineinpasste. Sammler geben nichts weg. Auch das nicht, was sie nicht mehr brauchen. Was sie einmal haben, das wollen sie behalten. Greg seufzte.

Ela hielt seinen Seufzer für Vorfreude. Sie wies ihn in Moritzens Bett ein und darauf hin, dass es frisch bezogen war. "Extra für uns zwei."

***

Das nächste Mal kam sie mit Moritz nach Agadir. Dort hatte Greg sich niedergelassen, um Arabisch zu begreifen. Dort hatte er ein Haus auf einem Hügel. Moritz und Ela wohnten in einem Apartment in der Stadt. Er hatte sie vom Flugplatz abgeholt, und sie verbrachten manchen Abend miteinander, alle drei.

Er sah Ela schon von Weitem. Sie stürmte den Hügel empor und kam atemlos bei ihm an. "Fühl mein Herz, mein Herz!" Sie legte seine Hand zwischen ihre Brüste, die sie unter einer dünnen Bluse kaum verbarg. Das Herz pochte wie wild.

"Was willst du?" fragte Greg. "Wo ist Moritz?" Es war noch früh am Tag.

Sie atmete immer noch schwer. "Er schläft. Du weißt doch, er schläft gern lange. Ich habe gesagt, ich geh Obst holen. Frisches Obst. Fürs Frühstück." Sie lief an ihm vorbei ins Haus. Sie lief die Treppe hoch, und kurz danach hörte er sie rufen: "Komm nach oben, mein Herz. Komm schnell!"

Sie lag nackt auf seinem Bett, es war noch nicht gemacht. Sie hatte sich in Windeseile ausgezogen. Sie lag auf dem Rücken und hatte die Schenkel gespreizt, die Knie angewinkelt. Sie hielt ihm die Arme entgegen und sagte noch einmal: "Komm schnell!" Viel Zeit hatte sie nicht, das sagte sie eilig: "Ich muss gleich wieder weg. Der Obststand ist um die Ecke von uns. Komm, mein Herz, komm!" Sie sprach wie eine Frau, die vor dem Einkauf noch Staub wischen wollte.

Greg zog langsam die Pyjamahosen aus. Ela richtete sich auf. "Warum ist er so klein?" Sie schien enttäuscht. Sie zog Greg zu sich heran und nahm sein Glied in den Mund. Es schwoll schnell an. "Na also", sagte Ela sachlich. "Nun komm!"

Sie lagen nebeneinander im Bett. Ela setzte sich auf und betrachtete sein Glied. "Jetzt ist er schon wieder ganz klein!" Ihre Zunge drückte sich durch den Spalt ihrer Lippen hindurch und bewegte sich hin und her von einem Mundwinkel zum anderen. "Das hat so gut getan, mein Herz! Weißt du, Moritz wollte heute früh auch. Deshalb bin ich zu dir gerannt." Moritz rauchte Zigarren und aß Knoblauch roh.

Sie drehte sich auf die Seite und rutschte mit dem Kopf nach unten. Sie nahm sein Glied erneut in den Mund. Sie drehte sich, und schob sich mit den Knien nach oben, bis ihr Geschlecht über ihm glühte. Sie senkte es auf seinen Mund herab. "Nimm!" murmelte sie und gab für einen Augenblick sein Glied frei. "Es ist alles nur von uns."

"Ich finde es nicht gut, was wir machen", wollte er sagen. Er sagte es nicht, weil sie ihm mit ihrer Spalte den Mund zuhielt. Und weil ihm einfiel, dass er das auch vorher hätte sagen können. Ihre Säfte erregten seine Zunge, und er kam in ihrem Mund.

\*\*\*

"Wir können uns in Belgien treffen", sagte Ela. "Hörst du?! In Belgien." Vorher hatte sie lachend gesagt, dass Moritz Beschwerde bei der Telefongesellschaft geführt hatte. "Die Telefonrechnungen sind jetzt so hoch wie nie, mein Herz! Himmelhoch!" Manchmal redeten sie eine halbe Stunde. Immer rief Ela an. Einmal, als er ihrer Stimme überdrüssig war, hatte er aufgelegt. Stunden später, als er das Taxi rufen wollte, war sie immer noch am anderen Ende dran: "Warum hast du aufgelegt, mein Herz?"

"Warum Belgien?" Greg wollte nach Deutschland. Die Sendung,

an der er mitwirken sollte, war eine Talk Show über den Freiheitskampf von irgendwem in der Sahara. Frente Polisario oder so. Sie sollte in Berlin stattfinden. Drittes Programm. Da suchten sie jemanden, der gegen Unterdrückung war. Er hatte nichts dagegen, dagegen zu sein. Es machte ihm Freude, nach Berlin zu kommen, und ein bißchen Geld gab es auch noch dafür.

"Nur das Wochenende. Dann fahre ich von dort nach Hause. Und du kommst ein paar Stunden später an. Wir holen Dich vom Bahnhof ab."

"Ich weiß nicht", sagte er unsicher.

"Ich weiß aber, mein Herz. Ela weiß. Wir machen uns ein wunderwunderschönes Wochenende. Und wir lieben uns wie toll. Und mein Mund sehnt sich so nach dir. Und meine Margarite...."

Warum sie ihre Spalte plötzlich Margarite nannte, war ihm schleierhaft. Ihr Geschlecht war von dunkler Tönung, bräunlich die Haut ihrer Schamlippen, und alles war von krausem, fast schwarzem Schamhaar eingedschungelt. Auch von kräftigem Geruch. Er zuckte die Achseln. Vielleicht ein neuer Selbstfindungs-Abschnitt.

"Hast du denn gar keine Sehnsucht nach mir?" Elas Stimme versuchte vorwurfsvoll zu klingen. Er konnte den Schmollmund fast hören.

"Doch", sagte Greg. "Doch, doch." Agadir war kein Paradies, es sei denn, einer mochte Jungen. Greg mochte keine Jungen.

"Na also."

"Na also was?"

"Na also, wir treffen uns in Belgien. Ich hole dich am Flugplatz ab. Es gibt einen Direktflug am Freitag Vormittag. Ich habe auf dem Flugplan nachgeschaut."

"Braucht Moritz nicht das Auto?" Er holte Luft und verstärkte den Satz. "Moritz braucht doch bestimmt das Auto."

"Moritz ist bei seiner Mutter in Hamburg. Moritz fliegt. Er braucht das Auto nicht. Er braucht das Auto nie. Also abgemacht?"

Greg zögerte. "Ich weiß nicht..." begann er noch einmal.

"Was ist denn, mein Herz?""

"Ich glaube, es ist besser, nicht..."

Am Nachmittag brachte ihm ein Bote ein Flugticket. "Im Auftrag von..." der kleine braune Mann kramte behende nach einem Zettel unter dem Burnus und las dann Elas Namen vor: "Elisabeth Wagner". Er hatte einen französischen Akzent und sagte: "Wagnère."

Moritz brauchte eine Weile, um nach Deutschland durchzukommen. "Warum hast du das Ticket bezahlt?"

"Wärst du sonst gekommen?"

"Das kostet viel Geld."

"Ich verstehe dich schlecht. Die Verbindung..."

"Viel Geld!!!"

"Du kannst es zurückzahlen, mein Herz. Mit Küssen, mein Herz." Moritz und Ela hatten ein gemeinsames Konto.

"Ich..."

"Bis Freitag, mein Herz. Moritz kommt gleich nach Haus."

*\*\**

Belgien. Eine ganz schlechte Idee war es dann doch nicht gewesen. Greg stellte zu seiner Überraschung fest, dass er sich freute, als er Ela am Flugplatz sah. Und er war fast ein bisschen stolz, als sie ihm um den Hals fiel und flüsterte: "Schön, dass du da bist, mein Herz." Überall um sie herum fielen Frauen Männern um den Hals. Wahrscheinlich sagten sie alle ähnliche Dinge. Greg fühlte sich wie einer von ihnen, einer, der endlich mal irgendwo ankommt und nicht allein ist, allein rumsteht, allein aufs Gepäck wartet, allein das Taxi nimmt, allein ins Hotel geht, allein ins Restaurant, allein duscht, allein masturbiert. Er fragte sich, aber nur nebenher fragte er sich das, ob viele der Frauen, die da den Männern um den Hals fielen, zu Hause andere Männer hatten, ihren Moritz oder ihren Maurice, der das alles bezahlte, und wer wohl wem das Ticket gekauft hatte... "Komm du, wir fahren erst einmal einen Happen essen und was trinken", unterbrach Ela seine Nebenher-Gedanken. "Ich hab 'furchtbar Durst, was zu trinken, du."

Moritz fuhr einen silbergrauen Rover. Meist allerdings fuhr ihn Ela, denn für Moritz war der Weg von der Wohnung zur Firma nicht weit genug für eine lange Parkplatzsuche. "Wenn die Firma nicht für Rover arbeiten würde, würde ich mir einen Kleinwagen kaufen", hatte er wiederholt gesagt. Die Firma stellte die Prospekte für Rover her. Die Autos kaufte man aus Geschäftsfreundschaft, und weil man sie billiger bekam. Und weil der Kunde es erwartete.

Ela allerdings mochte den Rover. "Er steht mir, findest du nicht auch?"

Greg fand das nicht. Aber er verzichtete darauf, es zu sagen. Aus seiner Sicht war Ela eine Frau, die in überhaupt kein Auto passte: Sie war zu klein und ragte nicht genügend hoch, um richtig zu sehen und gesehen zu werden. "Du solltest vielleicht ein Kissen unterlegen", sagte er als Schlussfolgerung seiner Überlegungen. Da waren sie schon auf der Autobahn und fuhren in Richtung Lüttich.

Ela griff zu seinem Oberschenkel hinüber. "Natürlich", sagte sie. Greg merkte, dass sie abbremste und sah, dass vor ihnen ein Parkplatz war.

"Warum hältst du an? Was tust du?"

"Hinten ist ein Kissen", sagte Ela. "Und hier ist kein Mensch weit und breit."

Hinten lag auch ein Kistchen Zigarren und hinten lag eine Sonnenbrille mit kränklich wirkenden braunen Gläsern. "Soll ich die Beine in die Halteschlaufen tun?" Das war ein Witz aus Volkswagenzeiten.

Der Wagen, der nach ihnen auf den Parkplatz kam, damit die Kinder Pipi machen konnten, fuhr mit quietschenden Reifen weiter. Eine Mammi mit weit aufgerissenen Augen hielt einem kleinen Mäd chen die Augen zu. "Ich will aber gucken, Mammi!"

Ein Motorradfahrer behielt seinen Sturzhelm mit dem getönten Glas auf und versuchte mit gerecktem Hals, etwas mitzuerleben. Er kratzte sich im Schritt und machte einen nachdenklichen Eindruck. Wahrscheinlich bedauerte er zum ersten Mal im Leben seine Lederkleidung.

Ein Vertreter im Firmenwagen, auf dem "La vache qui rit" stand schaute zu ihnen hinüber. Nach einiger Zeit stieg er aus und ging in das Wäldchen hinter dem Parkplatz.

"Wenn wir uns beeilen, sind in Lüttich die Restaurants vielleicht noch auf", sagte Ela. Greg war froh, dass sie das hinterher und erst, als sie wieder fuhren, sagte.

\*\*\*

Die Nacht verbrachten sie in einem kleinen Ort, in dem die Leute etwas Deutsch sprachen. Der Ort hieß Vracht, aber das wusste er erst hinterher, als sie ihm die Fotos zeigte, die sie hin und wieder während des Wochenendes geknipst hatten: Da stand Ela durch den Weitwinkel der Kamera ziemlich unscheinbar unter einem Ortsschild. "Vracht" stand auf dem Ortschild. Der Name gefiel ihm nicht. Er erinnerte ihn an Räuspern und Spucken. Er erinnerte ihn an etwas Unangenehmes, das ihm begegnet war. Er wusste nicht was, aber wenn er davon geträumt hätte, wäre es ein böses Tier mit feuerrotem Kopf gewesen.

Der kleine Ort. Außer einem schäbigen, von kränklichem Neonlicht verdorbenen Restaurant, das schlechtes Essen auf den Tisch brachte, gab es nichts, was sie davor bewahren konnte, früh ins Bett zu gehen. Der Wirt kratzte sich am Kopf und macht sie verlegen grinsend darauf aufmerksam, dass sich auf dem Sonderkanal des Fernsehers im Zimmer eine Überraschung für seine Gäste anbot. Die müsste er allerdings extra in Rechnung stellen. Offenbar hatten sie eins von den Wochenendhotels erwischt, in dem kleine Chefs ihre kleinen Sekretärinnen verwöhnten: Auf dem Sonderkanal machten es Frauen miteinander und steckten sich gegenseitig Vibratoren zwischen die Schenkel. In einer der Episoden schaute ein heftig Tätowierter in einen Sessel gelümmelt zu, und ließ dann langsam, ohne Interesse auch nur zu heucheln, seine Hose herunter.

Ela schaute fasziniert zu und sagte zu ihm: "Mann, ist der dick, Mann!" Die Süßigkeiten-Werbung hatte  Spuren hinterlassen. Wie um Greg nicht zu verletzen, fügte sie hinzu: "Aber deiner ist noch dicker. Und hübscher auch." Dann knöpfte sie ihm die Hose auf und nestelte sein Glied aus den Boxershorts heraus. Sie wirkte wie eine Frau, die den Einkauf auspackt. Sie blickte zu ihm hoch und sagte, als ob sie das alles noch erklären müsste: "Jetzt nehme ich ihn in den Mund. Aber sag mir, bevor du kommst, weil, ich möchte es ins Gesicht haben heute, ok?"

"Ok", sagte er. "Wird gemacht. Vorher ansagen." Er war sich sicher, dass sie seine Ironie nicht merkte.

Er meldete sich mit einem Stöhnen und mit einem Griff in ihre Haare, als es fast so weit war, und auf dem Fernsehschirm beobachtete er, dass nun auch für den Tätowierten der Augenblick gekommen war, für den er nachher Geld kassieren würde: Er zog sein Glied, das er der Frau von hinten eingeschoben hatte, heraus und  spritzte seine Ejakulation über ihren Rücken. Die Frau ließ im selben Moment von ihrer Spielgefährtin ab, zwischen deren Schenkeln sie leckend und sabbernd gestöbert hatte und griff mit der Hand nach hinten. Sie strich sich über ihren Rücken und verteilte den Saft des Tätowierten. Sie lächelte dabei in die Kamera und schien von der Regie die Anweisung bekommen zu haben, dankbar zu wirken. Auch Ela machte einen zufriedenen Eindruck, als er sein Glied aus ihrem Mund zog und ihr Gesicht überflutete. "Ich wasche mir nachher die Haare."

"Ob die Spaß an so was haben?" fragte Ela ihn später und zeigte auf den Fernseher.

"Auf jeden Fall kriegen sie Geld dafür."

Sie dachte eine Zeitlang nach. "Na, besser als Blut spenden", sagte sie dann ziemlich unerwartet.

Greg lachte. Es war das erste Mal, dass er über sie lachen musste.

"Dabei habe ich es ernst gemeint", sagte Ela ein wenig verdrossen.

Am nächsten Morgen: Der Wirt lächelte verschwörerisch und fragte: "Hebbe die Heerschappe goed geslapen?" oder so ähnlich. Vermutlich hatte er sie beobachtet, vermutlich gab es da ein Loch in der Wand oder eine geheime Kamera, jedenfalls schüttelte er an seiner Hose, wie um Platz zu schaffen und betrachtete Ela mit Neugier. Ob er in ihrem Gesicht nach Spermaspuren suchte?

Für den Porno-Streifen berechnete er ihnen einen Fünfer extra."Ick hebb ook een mit Diere."

"Wir könnten uns von hier auf den Weg an die Mosel machen", schlug Ela nach dem Frühstück vor.

"Wir könnten auch zurück nach Brüssel und uns die Stadt anschauen."

Sie fuhren nach Brüssel, und unterwegs erzählte Ela aus ihrem Leben. "Volker war mein erster Mann. Den hätte ich am liebsten auch geheiratet." Entjungfert hatte er sie allerdings nicht.

"Obwohl ihr zwei Jahre zusammen...?"

"Und wie! Jedes Wochenende!"

"Und trotzdem nicht...?"

"Das ist ja eben das Verrückte", sagte Ela. "Ich glaube fast, er hat das falsche..."

"Das glaube ich nicht", sagte Greg.

"Du musst es aber glauben. Und er hat vorher immer die Finger in Nivea-Creme gesteckt."

Sie fuhren eine Zeitlang ohne zu reden.

"Es hat dann aber Spaß gemacht", sagte Ela nach einer Weile. Sie sagte es mehr für sich. Dann schaute sie kurz von der Straße weg und warf ihm einen schnellen Blick zu. "Hauptsache, es macht Spaß, nicht wahr? In Brasilien machen es alle Mädchen so, habe ich gehört. Wegen der Unschuld."

"Wegen der Unschuld?"

"Na ja, sie bleiben dann unberührt und Jungfrau." Sie überlegte. "Nivea gibt es überall", sagte sie dann mit einem Hauch von Weltläufigkeit. "Aber man kann auch Olivenöl nehmen."

"Extra vergine?"

"Egal." Wieder entstand eine Pause. Dann lachte Ela. "Jetzt habe ich den Witz verstanden", sagte sie.

"Und Moritz war dann dein erster richtiger Mann? Ich meine, der Mann, der dich...?"

"...entjungfert hat?- Nein, das war Volker. Und es hat ganz schön weh getan. Viel weher als in den Po. Und meine Margarite hat geweint."

"Oh Gott!" machte Greg.

"Warum sagst du Oh Gott?"

"Nur so." Er zuckte die Achseln. Sollte ihr doch ein anderer die verdammte Margarite aus der Vase nehmen.

"Wenn wir in Brüssel sind, erzähle ich dir vom Waisenhaus."

Bei Ela hatte es ziemlich schlecht angefangen. Ihr Vater war einer von denen, die in jedem kleinen Dorf der Welt die Dorfmädchen beeindrucken. Er war Zauberkünstler und trug bei den Aufführungen im Gasthof einen eleganten schwarzen Frack. Er sah so ganz anders aus als die jungen Burschen in den Gummistiefeln und den dicken grünen Joppen, die immer ein bisschen nach Schweiß und Bier und Kuhstall rochen. Er betörte durch sein Anderssein und durch den mondänen Duft seiner Brillantine.

Elas Mutter hatte er auf die Bühne gebeten, der Zauberer, auf das hölzerne Podium, auf dem auch schon mal eine friesische Kapelle spielte, und vor dem die älteren Bauern dann mit ihren umfangreichen Frauen ernst und breitbeinig tanzten. Elas Mutter hatte sich zuerst geweigert, nach oben zu gehen, war dann, von ihren kichernden Freundinnen angetrieben und geschoben, dunkelrot im Gesicht auf die Bühne gestolpert. Sie hatte einen Seidenschal in der Hand halten müssen, einen Schal, der sich sodann, vom Pusten des Zauberers veranlasst, in ein Nichts aufgelöst hatte. Sie hatte einen Zylinderhut auf den Kopf gesetzt bekommen, aus dem es urplötzlich goldenes Konfetti regnete. Und der Zauberer hatte sie angelächelt.

Der Zauberer hatte sie angelächelt! Hatte Elas Mutter angelächelt, Elas Mutter, die noch nie ein Mann angelächelt hatte, außer der alte humpelnde Pieter, aber der griente jedes Mädchen an und griff ihm unter den Rock, wenn es nicht aufpasste. Der alte Pieter war nicht ganz richtig im Kopf. Pflaumenpieter nannten ihn die Bauern lachend. Sein Hinkebein verdankte er einem Sturz vom Traktor, und im Dorf wurde gewettet, wann man ihm das Bein wohl amputieren würde - abschneiden, sagte man - denn die Knochen waren nie mehr richtig verheilt.

Der Zauberer hatte sie angelächelt! "Schön siehst du aus mit dem goldenen Konfetti, das an dir klebt", hatte er leise gesagt und hatte, als er sie vom Podium zurück ins Publikum schob, streichelnd ihre Schulter berührt. Ihre Schulter, die noch nie ein Mann berührt hatte, denn sie war eckig und mager, eckig und mager wie ihr Gesicht.

Der Zauberer hatte sie angelächelt! "Wenn du heute Nacht in meinen Wagen kommst, darfst du die Zaubertäubchen streicheln", hatte er geflüstert.

Der Zauberer hatte sie angelächelt. Nicht nur. Am späten Abend, als das Dorf schlief, war sie in seinen Wohnwagen gekommen, war aus dem Fenster ihres Zimmers gestiegen und im Schatten der Bäume hinüber gehuscht. Mitten unter seinen Zauberkaninchen, seinen magischen Bällen und einem Futtersack voll goldenem Konfetti, auf dem "Ruffruff" stand, was das Geräusch von Schweinen nachahmen sollte, hatte er sie gefragt: "Willst du meinen Zauberstab sehen?"

"Wo ist er denn?" hatte sie begierig gefragt und vor Aufregung nur flüstern können. Das Herz schlug ihr hoch im Hals.

Sie begriff nicht gleich, warum er das Licht ausmachte. "Dann kann ich ihn doch nicht sehen."

"Aber anfassen kannst du ihn", sagte der Zauberer.

***

Kein Bösewicht war der Zauberer. Als Ela im Bauch ihrer Mutter schon strampelte, kam er das nächste Mal ins Dorf. Er wollte sie heiraten, als er sie in ihrem Zustand sah. Elas Großeltern und der Knecht vertrieben ihn mit Mistgabeln und Kartoffel-Artillerie: "Zigeuner! Halunke! Galgenvogel!"

"Im Waisenhaus war es ziemlich schlimm", sagte Ela. Die Mutter hatte die Geburt nicht lange überlebt, die Großeltern wollten von dem kleinen Bastard nichts wissen. "Ja," sagte Ela. "Es war ziemlich schlimm."

Es war jetzt schon später Nachmittag. Sie hatten Brüssel erreicht. Sie hatten sich Brüssel angeschaut. Jetzt saßen sie in einem Café auf der Terrasse, und die Sonne schien. Vor ihnen fluteten Touristen vorbei, die alle gekommen waren, um das Männeken Piss zu fotografieren.

"Weißt du, was der Mann gemacht hat?"

"Welcher Mann?"

"Der Schiffer auf dem Kutter."

"Von dem hast du mir noch nie etwas erzählt." Ela begann oftmals ihre Sätze so. Sie dachte ihre Gedanken und setzte an das Ende einen Satz, den nur sie verstand.

"Er hat zu mir und zu Gisela immer gesagt, wir sollen uns auf sein Gesicht setzen."

Das Waisenhaus hatte nahe bei einem Fluss gelegen. Von manchen der Zimmer aus war er zu sehen, der Fluss hinter den Wiesen, auf denen es Blindschleichen und Frösche gab und Störche, die sie fraßen. Für die Kinder hatte der Fluss mit seinen Schiffen magische

Anziehungskraft: Wenn man es ihnen erlaubte, auch, wenn sie sich heimlich aus dem Haus schlichen, liefen sie zum Fluss. Ela wollte zu der Zeit Frau eines Kapitäns werden, eine von denen, die sie dort auf den Schiffen die Wäsche aufhängen sah, eine von denen, die manchmal lachten und winkten, wenn sie und Gisela am Ufer standen und schrien: "Nimm mich mit!"

"Wie alt warst du da?"

"Sechs. Vielleicht sieben?"

Und Gisela war ihre beste Freundin. Sie hatte den Schiffer zuerst kennen gelernt. Sie war an dem Kutter vorbeigekommen, und er hatte gesagt: "Komm doch mal rauf!"

"Und daran erinnerst du dich noch?"

"Ich weiß es nicht genau", sagte Ela ein wenig unsicher. "Ich glaube, es war so. Jedenfalls weiß ich noch ganz genau..." sie stockte.

"Was?"

"Soll ich's wirklich sagen?"

"Ja."

"Es wird dich schockieren."

"Was?"

"Was der von uns gewollt hat."

Zwei Touristen aus Wuppertal kamen an ihren Tisch. "Ist hier noch ein Plätzchen frei?" Ihre Fotoapparate waren voll, und ihre Münder flossen über: "So eine schöne Stadt! Also ehrlich!" Wuppertal war nichts dagegen. "Höchstens noch die Schwebebahn."

In der Nacht spürte er ihre Lippen an seinem Ohr: "Wir mussten Pipi auf ihn machen. Auf sein Gesicht.."

\*\*\*

Es ging zu Ende, wie die Dinge zu Ende gehen. Einmal noch war sie allein nach Agadir gekommen. Ein weiteres Mal hatten sie sich auf Gran Canaria getroffen. Am zweiten Tag dort hatte er gesagt: "Ich will nicht mehr!"

Er lag nackt auf dem Bett. Ela hockte neben ihm auf der Höhe seiner Hüfte. Sie war aus dem Bad gekommen und trocknete ihre Schenkel.

"Du musst ja nicht gleich wieder. Ruh dich ruhig ein bißchen aus."

"Ich meine, ich will überhaupt nicht mehr. Ich will nicht mehr, dass wir zusammen sind."

Ela starrte ihn an. Ihr Blick kam ihm mit einem Mal wie der eines Raubvogels vor. Sie hockte über ihm, und starrte ihn an. War er ihr Beutetier? "Ist das dein Ernst, mein Herz?" hörte er sie ungläubig sagen. Sie schaute auf sein Glied, das schlaff auf seinem Bauch lag, und sie bewegte den Mund, als ob sie danach schnappen wollte. Es was sein Ernst.

Ela versuchte nachzuholen. Sie versuchte, fünfundzwanzig Jahre Vergangenheit nachzuleben. An zehn oder zwanzig Tagen im Jahr. Mit ihm. Einer für alles. Für alles Entgangene.

"Du bist verheiratet." Etwas Besseres fiel ihm nicht ein.

"Das war ich vorher auch", sagte Ela mit entwaffnender Logik. "Wenn ich nicht mit Moritz verheiratet wäre, hätten wir uns nie kennen gelernt."

"Aber Moritz ist mein Freund."

"Das war er auch schon, als wir das erste Mal miteinander geschlafen haben."

"Ich darf ihm seine Frau nicht wegnehmen."

"Die hat er sich selber weggenommen."

Greg machte noch einen Ausbruchsversuch: "Ich habe eine andere..."

"Nein", unterbrach sie ihn. "Nein, mein Herz, das hast du nicht." Sie strich über seine Schenkel, und ihre Hand ergriff blitzschnell sein träumendes Glied. "Gleich ist er wieder hart", sagte sie. Sie beugte sich hinab und ließ ihre Zunge über seine Eichel gleiten. "Gleich ist er wieder hart, mein kleiner Putzi. Weil du mich liebst." Sie richtete sich auf und sagte mit großer Bestimmtheit: "Und weil es keine andere gibt."

"Lass mich los", sagte er. "Verdammt noch mal, lass mich in Ruhe!" Er richtete sich auf. Er schob ihr Gesicht weg. Er griff nach ihrer Hand, die sein Glied immer noch gepackt hielt und sagte noch einmal: "Lass los!" Er richtete sich auf. Er verließ das Bett und ging ins Bad. Er warf die Tür hinter sich zu.

"Du bist nur schlecht gelaunt!" rief Ela hinter ihm her. "Das geht vorbei, mein Herz! Das geht vorbei, und dann hast du mich wieder lieb."

Er hörte sie an der Badezimmertür. "Bleib draußen!" Er verriegelte die Tür.

"Du hast keine andere, mein Herz! Ich weiß, du hast keine andere. Ausserdem muss ich mal dringend!" Sie klapperte solange an der Türklinke, bis er sie öffnete. Sie setzte sich auf die Brille. Sie machte Pipi. Dachte sie an den Schiffer?

Beim nächsten Mal, als er wieder in Deutschland war, nahm er die andere mit. "Ela, das ist Maximiliane. Maximiliane, das ist Moritz." Maximiliane war Malerin. Er hatte sie in Agadir am Strand angesprochen: "Schönes Aquarell."

"Finden Sie?"

"Wunderschön!"

Weil es spät wurde und viel guten Cognac gab und vorher Wein, bot Moritz ihnen das Gästebett an. Ela musste das Bett machen, und er sah, dass sie das Kissen mit Fausthieben prügelte und..."

Bogdan schreckt hoch. Das Manuskript liegt auf der Decke. Er spürt, dass sein Arm taub geworden ist. Er richtet sich auf und schaut zu, wie die Seiten von der Decke gleiten und sich auf dem Boden ausbreiten. Er starrt auf die losen Blätter. "Und wie weiter?" fragt er laut. Er versucht, sich vorzustellen, was dann geschehen war. "Es wird absurd gewesen sein", sagt Bogdan. "Eine absurde Komödie."

Er schließt die Augen und sieht hinter den Lidern die Küche, den runden Tisch. Die Tür am Ende der Küche, die Tür, die in den Garten führt, dorthin, wo die Bierkästen stehen und wo Ela ihre Küchenkräuter zieht. Den Herd mit seinen glitzernden Töpfen und teurem

Kochgerät. Den Schrank mit den gesammelten Gläsern. Das Regal mit den vielen leeren Bierdosen aus aller Welt. Er sieht den Tag, als der Brief gekommen war: Der Brief aus dem Norden...

## 8

*DIE WAHRHEIT*

"Du musst es mir glauben, Schatz! Ich flehe dich an!" Zu Moritz sagte Ela Scha-atz. Mit zwei A. Manchmal war auch noch ein H dazwischen: Schahatz! Jetzt war kein H dazwischen, denn Ela schluchzte und schniefte.

Sie saßen am runden Tisch, Ela und Moritz. Es war der, an dem sie aßen und tranken und an dem sie Karten spielten, wenn Freunde kamen, Poker oder Skat. Vor Moritz lag der Brief. Der Brief war geöffnet. "Warum sie ihn überhaupt ins Büro geschickt haben", schluchzte Ela.

Moritz starrte sie hasserfüllt an. "Damit du ihn nicht abfangen kannst, deshalb!" In dem Brief standen schreckliche Dinge. Ein Mann hatte ihn geschrieben, die Schrift war ihnen unbekannt. Der Mann nannte sich Hirt, auch diesen Namen hatten sie noch nie gehört. Hirt hatte Moritz über Elas Ausflug in die Untreue informiert. Der Brief war in der Nähe von Lübeck abgeschickt worden. Getsernberg verriet der Poststempel.

"Das hätte ich nie getan", schluchzte Ela. "Ich hätte dir nie den Brief verheimlicht. Du kennst mich doch Schatz!" Sie wischte sich die Tränen ab und putzte sich sehr laut die Nase.

Moritz hob die Hand. Herrisch, wie es ihm erschien.. "Lenk nicht ab!" befahl er. "Hör auf, dir die Nase zu putzen!"

"Ich lenke nicht ab. Ich putze mir die Nase, weil ich doch so schrecklich weinen muss. Weil doch dieser schreckliche Brief so gelogen..."

"Gelogen", schnaufte Moritz hasserfüllt. "Du hast mich mit Greg betrogen. Mit meinem besten Freund! Mit diesem Schwein!"

Ela begann lauter zu weinen. Sie stand auf und verließ die Küche. Sie verschwand im Bad und kam mit einem Karton Kleenex zurück. Sie zog ein Tuch heraus und noch eins. Sie legte sie übereinander und...

"Hör auf, dir die Nase zu putzen, verdammt noch mal!"

"Ich muss aber doch, Schatz!"

Moritz richtete sich auf und hob anklagend einen Finger in die Höhe. "Wir werden uns scheiden lassen!"

Ela unterbrach ihr Naseputzen. Sie starrte Moritz an. "Es war nicht meine Schuld", sagte sie. "Dein bester Freund hat mich dazu ge..." sie unterbrach sich.

"Ge...was?" fragte Moritz und ließ den Zeigefinger sinken. "Ge...was hat er dich?"

"Gezwungen", sagte Ela. "Und dann hat er mich erp..."

"Erp... was?"

Ela brachte das Wort nicht heraus. Sie stotterte eine Reihe von Ps.

"Erpresst?" fragte Moritz.

Ela nahm ein neues Papiertuch und putzte sich die Nase. Sie nickte schluchzend in das Tuch hinein.

"Das verdammte Schwein", sagte Moritz. Er sprang auf und lief in der Küche umher. Er blieb vor dem Gläserschrank stehen. Er zog ein Schubfach heraus. Er wühlte im Besteckkasten und griff nach einem Küchenmesser.

Ela starrte zu ihm hinüber. "Töte mich nicht! Lass mich leben! Bitte, du!"

Moritz blickte auf das Messer in seiner Hand. Es war das Buttermesser, das seine Mutter ihnen zum Hochzeitstag geschenkt hatte. Zusammen mit den sechs Eierbechern. "Wer hat die Spitze abgebrochen?" fragte er grollend. Neue Wut stieg in ihm hoch und mischte sich mit der anderen. "Hast du schon wieder..."

"Es war kein Schraubenzieher da, Schatz." Sie verzog das Gesicht. "Ich muss niesen!"

"Untersteh dich!"

Ela nieste und sagte dann erleichtert: "Hatschi!" Sie zerrte ein Papiertuch aus einem Karton und putzte sich die Nase.

Moritz schleuderte das Messer ins Schubfach zurück und stampfte zum Fenster. Er kehrte ihr den Rücken zu. "Gesteh mir alles", sagte er dumpf. "Und wehe, wenn du lügst! Und wehe, du niest noch mal."

"Ich gestehe", sagte Ela. "Ich schwöre, dass ich dir die Wahrheit sage." Sie zog hoch.

"Zieh nicht hoch!"

"Verzeih, Schatz."

"Sprich!"

Ela schaute in seinen Rücken. "Erinnerst du dich noch, als du nach München musstest, und ich wollte zu meiner Tante nach Friesland?"

"Was hat das damit zu tun? Wenn du ablenkst, vergesse ich mich." Moritz ballte die Faust und schlug auf das Fensterbrett. Es tat weh. Er verzog das Gesicht und war innerhalb seiner Wut zufrieden, dass er ihr den Rücken zukehrte.

"Ich lenke nicht ab, Schatz. Als du dem Kerl den Schlüssel gegeben hast."

"Welchem Kerl?"

"Greg."

Moritz widerstand der Versuchung, sich umzudrehen und ihr scharf in die Augen zu blicken. "Was soll da gewesen sein?" fragte er und versuchte alle Schärfe statt in seine Augen in seine Stimme zu legen. Es gelang ihm nicht. Ihm blieb nichts weiter übrig, als sich umzudrehen.

Sein Blick begegnete ihrem. Sie senkte die Augen und ließ demütig die Schultern hängen. Er kam an den Tisch zurück. "Du willst mich aufs Glatteis führen. Ehebrecherin!" Das Wort klang komisch. Er sagte es noch einmal und mit noch mehr Verachtung in der Stimme. Auch weiter hinten im Rachen: "Ähäbrächerin!" Das klang schon besser.

Elas Hände zuckten zum Kleenex-Karton hin, aber Moritz kam ihr zuvor. Er riss den Karton weg und klemmte ihn sich unter den Arm. "Jetzt wird nicht mehr die Nase geputzt", sagte er mit rauer Stimme: "Die Wahrheit!"

"Auf der Autobahn bin ich in einen Stau gekommen. Es hatte da einen Unfall gegeben. Der Unfall war fürchterlich. Ein kleines Kind war im Auto verbrannt. Bei lebendigem Leibe. Es hielt noch sein Püppchen in der Hand. Die Mutter lag tot vor dem Wagen. In ihrem Blut. Sie hatte versucht, ihr Kind zu retten, und war dabei von einem Lastwagen überrollt worden. Der Fahrer war eingeschlafen. Er hatte den Unfall nicht gesehen. Ich konnte nicht mehr weiterfahren. Ich bin umgekehrt."

"Du lügst!"

"Der Unfall stand in der Zeitung. Der Lastwagen hatte giftige Säure geladen. Ich sage die Wahrheit. Ich liebe dich, Schatz. Nur dich!"

"Ha!" machte Moritz wütend. "Was geschah dann?"

"Gib mir ein Tempo", sagte Ela. "Ich flehe dich an!"

"Erst die Wahrheit!"

"Erst Tempo!"

"Es ist Kleenex."

"Egal."

Er zog widerstrebend ein Tuch aus dem Karton und gab es ihr. "Und jetzt die Wahrheit!" befal er. "Sofort!"

"Als ich nach Hause kam, noch zitternd und außer mir vor Schreck, total fertig, weißt du, da war er schon da. Der Kerl", fügte sie hinzu. "Er hatte sich Einlass verschafft. Mit dem Schlüssel." Sie machte eine Pause und sagte dann fast nebenher: "Den du ihm gegeben hast."

"Du hast ihn ihm gegeben", widersprach Moritz mit drohender Stimme.

"Nein du, Schatz."

"Nein, du!!!"

"Vielleicht hast du recht", sagte Ela sanft. "Jedenfalls sind wir dann essen gegangen. Er muss mir was in den Wein getan haben. Ich weiß nicht, wie ich nach Hause gekommen bin." Sie putzte sich die Nase.

"Hör auf, dir andauernd die Nase zu putzen!"

"Verzeih, Schatz. Es ist ja nur, weil ich mich so schäme."

"Schamlose!" knurrte Moritz. "Was war dann?"

"Setz dich doch, Schatz. Komm zu mir!"

"Nein!"

"Ich bitte dich, Schatz!" Ela blickte zu ihm hoch.

Er ging zum Fenster zurück und legte auf dem Fensterbrett die Kleenex-Packung ab. Er ging zu einem Bord an der Wand und griff nach einer Cognac-Flasche. Er kam zum Tisch zurück und setzte sich.

Ela stand auf. "Ich hole dir ein Glas, Schatz."

"Die Wahrheit!" forderte er herrisch.

Sie stellte ein Glas vor ihn hin, sie wischte ein Brotkrümelchen liebevoll weg, um dem Glas Bewegungsfreiheit zu verschaffen, und sie setzte sich wieder. "Als ich zur Besinnung kam, lag ich auf dem Boden im Wohnzimmer. Direkt neben der Hausbar. Ich schaute mich um. Der Kerl saß im Sessel und grinste. Seine Jeans waren noch offen. Der Schlitz. Mir gefror das Blut in den Adern. Ich sah die Tätowierungen auf seinen Armen."

"Greg ist nicht tätowiert. Du lügst."

"Vielleicht kam es mir in meiner Angst so vor. Ich habe mal einen schrecklichen Film gesehen, da war der Kerl auch tätowiert. Er hat die Frau mit der Peitsche..."

"Schweif nicht ab!"

"Ich richtete mich auf und schaute an mir herab. Ich schrie entsetzt auf. Ich..." Ela stockte und ein Riesenschluchzer explodierte förmlich aus ihr heraus.

"Du sollst nicht niesen!"

"Ich habe geschluchzt!"

"Sprich", forderte Moritz hart. Er füllte sich ein zweites Glas und stürzte es hinunter. Es schüttelte ihn.

"Meine blaue halblange Hose lag neben mir. Du weißt doch, die mit den schönen Perlmuttknöpfen."

"Zur Hölle mit den Knöpfen!"

"Mein Höschen hing in den Knien."

Moritz starrte sie an. "Er hat dich vergewal..."

"Das hat er", sagte Ela. "Vergewaltigt. Und wie!"

"Er soll es büßen", sagte Moritz dumpf. Das Buttermesser fiel ihm wieder ein. Vor seinem geistigen Auge tauchte die abgebrochene Klinge auf. Er wischte das Bild und den aufsteigenden Nebenärger fort. Wichtige Dinge zuerst: "Er soll es büßen." Über dem Herd hingen noch ganz andere Messer. Er hatte sie gerade erst geschliffen. Vor seinem geistigen Auge wälzte Greg sich auf dem Küchenboden. Letzte Worte gurgelten aus seiner durchschnittenen Kehle, schaumiges Blut begleitete sie. Sein Auge brach.

Ela begann wieder, das Gesicht zu verziehen. "Ich muss niesen!" Sie sprang auf und rannte zum Fenster. Sie griff nach der Kleenex-Packung und brüllte einen Nieser aus sich heraus.

Moritz stieß mit dem Fuß in die Richtung, wo gerade noch der sterbende Greg gelegen hatte. "Hast du ihn rausgeworfen?" fragte er. "Wie kommt es, dass er immer noch zu uns kam? Du hast ihm das Bett gemacht. Einmal habe ich gesehen, dass du dich über ihn gebeugt hast. Ich dachte, ich hätte mich getäuscht. Wir waren auch in Agadir und haben ihn dort besucht." Er erhob sich langsam und hob drohend die Hand.

"Schlag mich!" seufzte Ela. "Ich verdiene es! Ich verdiene jede Strafe!"

"Die Wahrheit!" forderte Moritz.

"Ich bin aufgesprungen. Ich habe das Höschen hoch gezogen. Ich bin rausgerannt und habe die Hosen mitgenommen. Das Höschen und die Hose. Aufs Klo. Ich habe mich gewaschen. Ich bin ins Zimmer gerannt, um ihm die Augen auszukratzen. Da hat er gesagt: ..."

"Was hat er gesagt?"

"Was wird denn Moritz sagen, hat er gesagt. Was wird denn Moritz sagen, wenn er erfährt, dass du dich mir an den Hals geworfen hast?"

"Du hast dich ihm an den Hals geworfen??!!"

"Nein, Schatz. Das hat der Kerl gesagt. Und dann hat er mich noch einmal vergewaltigt. Auf deinem Bett. Ich musste es hinterher frisch beziehen. Das ganze schöne Satinlaken war..."

"Die Bestie", knurrte Moritz. Er sah fast rot. Er goss sich einen Cognac ein, kippte ihn hinunter und schüttelte sich unauffällig. "Dass er sich hier dann noch hat blicken lassen. Dass er das wagte."

"Wenn du nicht unbedingt nach Agadir gewollt hättest, Schatz..."

"Ich wollte nicht nach Agadir. Du wolltest nach Agadir."

"Ich habe nur so getan, Schatz. Ich wollte nicht. Ich musste. Er hat mich dazu gezwungen."

"Nach Agadir zu kommen?"

"Ich musste ihm dort noch einmal zu Willen sein."

"Das Schwein!" Moritz merkte den Reim und fand ihn unangebracht. "Die Sau", verbesserte er sich.

"Er hat mich gefesselt und dann von hinten..."

"...von hinten was? Und wie?"

"Ich schäme mich so."

"Was? Wie? Sprich!"

"In den Po. Ich konnte mich nicht wehren. Er hat mich gezwungen zu sagen..."

"Was?"

"Ich sag´s nicht!"

"Sag´s!"

"Fick mich!"

Moritz krallte sich am Tisch und am Cognac-Glas zugleich fest.

Mit je einer Hand. "Er wird es büßen müssen."

"Dann musste ich auf ihm reiten, und er hat mir den Po dabei versohlt."

Moritz stöhnte. "Er wird es büßen..."

"Dann habe ich ihn angerufen und gesagt: Jetzt ist Schluss!"

Moritz richtete sich langsam auf. Er ließ die Tischkante und das Cognac-Glas los. Er machte sich kerzengerade. Er musste einen Gedanken in sich aufnehmen. Der Gedanke drang in ihn ein und begann ihn langsam auszufüllen. "Die Telefonrechnungen", sagte er dumpf. "Wie oft hast du ihn angerufen, um zu sagen, dass Schluss ist?"

"Nur einmal Schatz, ich schwöre es dir." Ela begann erneut zu weinen und zog ein Papiertuch aus dem Karton.

"Hör damit auf. Wenn du niest, dann...!" Er hob drohend die Hand.

"Mir läuft die Nase."

"Dann wisch sie ab. Wehe, du niest oder schnaubst!"

"Jawohl, Schatz", sagte Ela folgsam.

"Die Telefonrechnungen!"

"Sie sind bestimmt nicht von mir, das musst du mir glauben, Ich könnte dich nie belügen."

"Du hast mich belogen!"

"Habe ich nicht!"

"Auf jeden Fall hast du mich betrogen." Moritz überlegte und schnüffelte dabei an seinem Cognac-Glas. "Noch einen", sagte ihm seine Nase. Er schenkte sich noch einen ein. "Wirklich nur einmal in Agadir?"

"Nur einmal, ich schwöre", sagte Ela mit voller Nase und hob die Hand mit dem Kleenex-Tuch. Sie zeigte feierlich drei Finger wie zum Schwur.

"Wann war's? Sag!"

"Am ersten Tag auf dem Markt, als du gerade im Apartment warst. Da hat er gesagt: Komm morgen früh, und wenn nicht... Ich will dich ver..."

"...gewaltigen?"

"Vernaschen hat er gesagt. Ich habe mich gewehrt. Ich habe gesagt: Das geht nicht. Dann hat der Unhold mir gedroht."

"Gedroht?! Womit?!"

"Er hat in der Nacht ein Foto gemacht. In der ersten Nacht. Damals, als das Kind verbrannt ist mit der Puppe in der Hand. Wie ich da wehrlos lag. Ohne Hose und Höschen, und als er auf mir drauf lag."

"Wie?"

"Was?"

"Wie hat er das gemacht, wenn er auf dir drauflag?"

Ela überlegte. "Selbstauslöser", sagte sie dann.

"Dafür wird er büßen", sagte Moritz und knirschte mit den Zähnen.

"Knirsch nicht mit den Zähnen", sagte Ela. "Das ist nicht gut für dich." Das war der Spruch, mit dem sie ihn auch nachts weckte. Moritz knirschte im Schlaf mit den Zähnen. "Wenn du so weiter machst, fallen dir die Füllungen raus."

"Du bist dann doch zu ihm gegangen", sagte Moritz. Seine Hand an der Cognac-Flasche gab ihm zu verstehen, dass er sich noch ein Glas einschenken sollte. Er folgte ihr widerstrebend.

"Es war schrecklich", sagte Ela. "Ich musste so tun, als ob ich auf den Markt ging. Sag ihm, du gehst Obst kaufen, hat er gesagt. Er hat mich auf sein Bett gestoßen."

Moritz rülpste. Er merkte, dass der Cognac zu wirken begann. "Das ist grammatisch nicht korrekt", sagte er. "Das muss heißen: Er hat mich auf seinem Bett gestoßen."

Ela lächelte zum ersten Mal. Unter Tränen zwar, aber sie lächelte. Man hätte es ein schmerzliches Lächeln nennen können. "Er sagt nicht stoßen, Schatz. Das sagst nur du, wenn wir uns lieb haben. Er sagt..." sie unterbrach sich.

"Was sagt er?"

"Nichts. Er vergewaltigt einfach nur. Er wirft mich hin und schändet mich. Kein liebes Wort. Keine Zärtlichkeit. Nur Trieb. Und hinterher..."

"Was hinterher?"

"Geht er aufs Klo."

"Die Wahrheit", sagte Moritz. Konnte es sein, dass er sich leichter zu fühlen begann?

Ela fühlte zu seinem Knie hinüber. "Schatz. Ich habe so Sehnsucht nach dir"

"Die Wahrheit", fordert Moritz hart und schob ihre Hand zurück. Er stand auf und ging aus der Küche. Er kam mit einer Zigarre zurück. Er nahm ein Schraubglas vom Küchenbord und stellte es auf den Tisch.

Ela schaute auf das Glas. "Der eingelegte Knoblauch", sagte sie erfreut. "Iss ordentlich. Er ist so gesund!"

Moritz goss sich einen letzten  Cognac ein, die Flasche war leer. "Weiter!" befahl er. "Was hat er gemacht. In Agadir."

"Er hat mir die Beine auseinandergerissen. Es hat weh getan. Ich habe geschrien. Er ist in mich eingedrungen. Von hinten. Ich habe die ganze Zeit geweint. Meine Margarite..."

"Lass deine Margarite aus dem Spiel", befahl Moritz. "Weiter!"

"Aber wenn ich das Wort nicht sagen darf".

"Sag meinetwegen Muschi. Was war damit?"

"Die Muschi war hinterher ganz wund. Und der Po war ganz blau. Grün und blau."

Moritz griff unter den Tisch und tastete an seiner Hose. Er bemerkte zu seinem Erstaunen, dass der Schein ihn nicht getrogen hatte: Gegen sein Hosenbein drückte eine erhebliche Erektion. Ob es daran lag, dass sie "grün und blau" gesagt hatte? Fuhr er jetzt auf Farben ab?

"Schatz", sagte Ela. "Ich habe so Sehnsucht nach dir. Hab mich lieb." Sie legte ihre Hand auf seine Hand auf seiner Hose.

"Die Telefonrechnung", sagte er unschlüssig.

"Da kann sich nur die Post geirrt haben."

"Dass du immer so freundlich zu ihm warst."

"Dazu hat er mich gezwungen. Das Foto."

"Dass du einen hysterischen Anfall bekommen hast, als er mit Maxiliane... mit Maxi ... na, du weißt schon, hier geschlafen hat."

"Ich war so glücklich", sagte Ela. "Endlich war es vorbei." Sie stand auf und ging zur Tür. "Komm, wir gehen ins Bett. Meine Marga..."

"Wehe!" unterbrach sie Moritz.

Sie lispelte "Verzeih!" und ging. "Muschi", sagte sie im Hinausgehen.

Moritz schaute ihr nach. Er fasste vorsorglich noch einmal an seine Hose und schüttelte verwundert den Kopf. Er legte sorgsam die Zigarre auf den Aschenbecher und schraubte den Deckel auf das Knoblauchglas.

Bogdan starrte auf das letzte Blatt. Es begann vor ihm zu verschwimmen. "Na ja", sagte er. "Warum nicht? Klingt fast wie eine wahre Geschichte."


9

*DIE COUSINE UND DAS ZÄPFCHEN.*


"Was hattu denn?" fragt die Frau im weißen Kittel. Sie redet zu ihm wie zu einem Baby. gleich wird sie die Hand ausstrecken und ihn in den Bauch pieken und "kicks!" sagen. Neben ihr steht Krystina. Sie trägt ein weißes Kleid. Es sieht wie ein Hochzeitskleid aus.

Krystina lässt ihn nicht antworten. Sie antwortet für ihn. "Er schläft andauernd, und wenn er mal wach ist, schläft er immer wieder gleich ein", sagt sie zur Ärztin. "Er wacht überhaupt nicht mehr richtig auf."

"Tue ich doch", sagt Bogdan protestierend. "Natürlich bin ich wach!" Er reißt die Augen weit auf und lächelt die Ärztin an. "Guten Tag, Frau Professor!"

Die Ärztin lächelt zurück. "Nur Tante Doktor", sagt sie.

Bogdan hat sie noch nie gesehen. Was tut sie hier? Sie kommt ihm bekannt vor. Irgendwas in ihrem Gesicht. Ihr Haar rotblond. Sie hat grüne Augen. Tief dahinter steht blau. Ihr Kittel ist offen. Er sieht, dass sie darunter nichts trägt. Sie hebt den Arm, und er sieht, dass ihre Achselhaare kupferblond sind.

Er schließt die Augen, um nachzudenken. "Ich kenne dich", murmelt er nachdenklich. "Tante Doktor. Onkel Doktor."

"Ich werde seinen Puls nehmen", hört er die Frau im weißen Kittel sagen. Sie hat einen Leberfleck neben dem Nabel. Jetzt fühlt er, wie ihre Hand unter die Bettdecke geht.

"Dort?" hört er Krystina verwundert fragen. "Nimmt man dort den Puls, Frau Doktor?" Bogdan meint, in ihrer Stimme Eifersucht zu hören. Er streckt sich der Ärztin entgegen und ist froh, als sie sein Glied wie ein Handgelenk ergreift und zu zählen beginnt: "Einundzwanzig, zweiundzwanzig, dreiundzwanzig, ...

Plötzlich weiß er, wer die Ärztin ist. Er wundert sich, was sie hier bei ihm zu suchen hat. Warum Claire blond geworden ist, versteht er auch nicht:

Als er sechs Jahre alt ist, sieht er, dass ihre Brüste zu wachsen beginnen. Er wundert sich, wo das so plötzlich herkommt. War da vorher nichts? Hat er es nicht bemerkt? Er erinnert sich vage, dass ihm aufgefallen ist, wie schon im Jahr davor, das war Ostern, als sie sich das Hemd ausgezogen hat wegen der Sonne, dass ihr also da um die Nippel herum eine Schwellung gewachsen war. Da hatte er aber nicht besonders drauf geachtet. Da war er noch ganz aufgeregt vom Ostereiersuchen gewesen, auch allerdings davon, dass er hinter ihr her in ein Gebüsch gekrochen und mit der Stirn wie ein Böckchen gegen ihren Po gestoßen hatte. "Lass Claire zuerst. Drängel doch nicht so, Kind!" Wer hatte da gerufen? Claires Mutter? Oder Tante

Magda? Die Oma? Claire war aber nicht weiter gekrochen. Sie hatte still gehalten. Ihr Po hatte sich fest gegen seine Stirn gedrückt. Einen Augenblick lang. "Du sollst nicht so drängeln," riefen jetzt alle. Ein Chor gegen das Drängeln. Gegen den Böckchenstoß mit dem Kopf in den Po. Jemand zog ihn an den Füßen aus dem Gebüsch. Er trat nach ihm. Zur Strafe bekam er keine Ostereier, weil es der Nachbar gewesen war, und dessen Brille war dabei kaputt gegangen.

Ist das nun tatsächlich von einem Ostern zum nächsten Sommer geschehen? Ändert sich ein Mensch so schnell?

Claire ist seine Lieblingscousine. Sie ist vier Jahre älter als er. Als er noch sehr klein war, hat sie mit ihm gespielt wie kleine Mädchen mit Puppen spielen. Sie hat ihn gekämmt und gewaschen und geküsst. Sie hat ihn gekitzelt und gestreichelt. Sie hat mit ihm Tante Doktor gespielt, ihn aus- und wieder angezogen und ihr Ohr auf seinen Bauch gelegt. Gelacht, wenn's darin gluckerte. Sie hat ihn am Ohr gezogen und auf den nackten Po geklapst, aber nur aus Spaß, nie so, dass es wirklich weh tat. Er hat sie Kehrchen genannt und alle fanden das drollig. Das lag daran, dass das L ihm nicht über die Zunge wollte. Er sagte auch Gocke statt Glocke und kauen statt klauen. Gas statt Glas.

Jeden Sommer ist er mit Claire zusammen. Im Winter sieht er sie wenig, Ostern immer nur einen Tag, im Sommer die ganze Zeit. Dann verbringen sie viele Wochen bei der Oma in der Sommerfrische. So nennen sie das, auch wenn es heiß ist: Sommerfrische. Bei der Oma haben Claire und er ein gemeinsames Zimmer auf dem Dachboden. Das Leben beginnt für Bogdan, wenn er mit Claire bei der Oma ist.

Als er acht ist und Claire zwölf haben sie immer noch ein gemeinsames Zimmer auf dem Dachboden. Und sie verbringen immer noch im Sommer die Ferien miteinander. Jetzt allerdings badet Claire nicht mehr in dem kleinen Badebecken, nicht einmal mehr mit einem Höschen an. Claire klettert auch nicht mehr auf die Bäume oder ins Gebüsch und lässt ihn ihr Höschen sehen. Bogdan bedauert das sehr. Die Leute sagen: "Das ist schon richtig eine junge Dame, die Claire."

Wenn Claire abends ins Zimmer kommt, soll er schon schlafen. Claire schaut dann zu ihm hinüber, ob er nicht nur so tut. Bogdan tut immer nur so, als ob er schläft, aber er tut es so gut, dass Claire nichts davon merkt. Dann macht Claire die Nachttischlampe an und beginnt, sich auszuziehen. Dann kommt für Bogdan der schönste Teil des Tages.

Bogdan liegt mit dem Kopf so auf dem Kissen, dass sein linkes Auges fast verdeckt ist. Mit diesem fast verdeckten linken Auge schaut er zu, wie Claire sich auszieht. Insgeheim wundert er sich, dass Claire nichts merkt. Merkt Claire wirklich nichts?

Claire hat jetzt schon richtige Brüste. Nicht mehr die kleinen Ansätze, über die er sich damals gewundert hat. Nicht mehr die, für die der Opa, der lebte damals noch, sie die Prinzessin mit den Erbsen nannte und Claires grünblaue Augen in schwarzblau sprühenden Zorn verwandelte. Claires Brüste sind so groß wie seine Tennisbälle geworden. Eher noch größer. Was sie deutlich schöner als seine Tennisbälle macht, das sind die rosa Nippel mit dem hellbraunen Rand, die obendrauf sind und manchmal ziemlich herausstehen. Und manchmal auch nicht. Bogdan hat Lust, daran zu lecken.

Bogdan hat Lust, Claires Brüste anzufassen. Er hat ihr das auch schon ein paarmal gesagt, aber Claire hat ihm einen Vogel gezeigt. Sie hat den Finger in den Mund gesteckt und daran geleckt. Dann hat sie den Finger Bogdan auf die Stirn getippt: "Du bist wohl verrückt!" Sie ist vor ihm hin- und hergetanzt und hat gesungen: "Du bist verrückt, mein Kind, gehörst nach Plötzensee..." Plötzensee war früher mal ein Irrenhaus in der Nähe von Berlin. "Wo die Verrückten sind, da gehörst du hin, mein Kind."

"Warum?" hat er gefragt. "Warum bin ich verrückt?"- Darauf hat ihm Claire nie eine Antwort gegeben. Sie hat stattdessen den Kopf zurückgeworfen und "Puh!" gesagt. Ohne, dass er sich erklären konnte, warum, hat ihm ihre Reaktion fast genau so viel Spaß gemacht, als wenn sie ihm gestattet hätte, an ihren Brüsten zu lecken. Das war im letzten Jahr gewesen. Inzwischen sind sie noch mal ordentlich gewachsen.

Inzwischen hat Claire auch richtige Haare. Weniger als die Oma, aber immerhin. Da, wo am Anfang nur ein kleiner wulstiger Schlitz war, der Bogdan, als er noch kleiner war, wie ein Defekt erschien, für den Claire ihm fast leid tat, weil da was fehlte, da wachsen jetzt Haare. Weil Claire lackschwarzes Haar zu ihren blaugrünen Augen hat, sind auch die Haare über dem Schlitz lackschwarz. Die Nachttischlampe lässt Bogdan nur ahnen, dass sie gekräuselt sind. Er würde gern mal anfassen.

Zusammen mit Claire, die jetzt vor einem Spiegel steht, vor einem ovalen Spiegel mit goldenen Rahmen, der früher mal im Schlafzimmer der Oma gehangen hatte, während Claire vor diesem Spiegel steht, betrachtet er ihren Körper aus einem halb geschlossenen Auge, betrachtet ihn, als ob es seiner wäre. Er glaubt und spürt fasziniert, dass er mitstreichelt, als Claire mit einer Hand über ihre Brüste geht, am linken, dann am rechten Nippel zieht, sich dann über ihre Hüften fährt. Dann kann er fast nicht mehr so tun, als ob er schläft, denn er sieht, dass sie vor dem Spiegel die Beine breit macht und vorsichtig einen Finger durch die Haare im Schlitz verschwinden lässt. Der Finger verschwindet im Schlitz!

Als sie ihn wieder herauszieht, riecht sie daran und rümpft die Nase. Bogdan würde alles dafür geben, würde am liebsten beten, dass er auch mal an Claires Finger riechen darf. "Lieber Gott, mach, dass ich an Claires Finger riechen darf. Ich will mir dann auch nie mehr die Dusche an den Po halten, um dieses komische Kitzeln zu kriegen, das mich ganz schwindlig macht. Amen!" Er schickt zur Verstärkung noch ein Vaterunser hinterher. Er geht aber davon aus, dass der liebe Gott ihm einen solchen Wunsch nie erfüllen wird. Nach allem, was er gehört hat, tut Gott so etwas nicht. "Und führe uns nicht in Versuchung."

Claire dreht sich mit einem kleinen Seufzer um und geht zu ihrem

Bett hinüber. Gerade noch kann Bogdan die Augen schließen. Er merkt dabei, dass er sie vor Aufregung weit aufgerissen hat. Vor Aufregung, als er den Finger verschwinden sah. Vor Aufregung, als Claire daran roch. Gerade noch kann er wieder ruhig atmen, wie einer, der nichts als Schlaf im Sinn hat.

Er hört, wie Claire vor seinem Bett stehen bleibt und wünscht sich sehnlichst, dass sie ihn noch einmal berührt. Das tut sie fast immer abends, das tut sie auch heute. Claire beugt sich zu ihm hinab und haucht ihm einen Kuss auf die Wange. Etwas in Bogdan beschließt, aufs Ganze zu gehen. Er grabscht, im Schlaf murmelnd und sich umdrehend, nach Claires Hand und zieht sie an sein Gesicht. Er atmet tief ein und murmelt schlaftrunken allerhand dummes Gebrabbel, als Claire ihre Hand hastig wegzieht. Es riecht wunderbar.

Dann hört er, wie Claire sich auf ihr Bett setzt, er hört, wie die Decken um sie herum rascheln, wie sie ihren Körper umfassen, er hört, wie sie das Licht ausknipst. In der Nacht träumt er, dass er selbst wie Claire einen Schlitz unter lackschwarzem Haar hat. Er versucht, einen Finger hineinzustecken, aber er spürt einen Gegenfinger von der anderen Seite. Der Finger wächst aus dem Schlitz heraus und wird ein großes Glied, größer als seins, wenn es steif ist. Aus dem Glied spritzt weißliche Flüssigkeit auf seine Finger. Am Morgen merkt er auf seinem Bauch getrocknetes Weißes, verkrustet. Er kratzt es mit den Fingernägeln ab und hofft, dass niemand etwas merkt. Auch nicht die Flecke in seinem Pyjama.

Ein paar Tage später sind sie allein im Haus. Die Oma ist zu einer ihrer Töchter gereist, zu Tante Lilly mit dem Mops, der sabbert. Sie will dort zwei Tage bleiben. Die Nachbarin passt auf sie auf. "Verreisen Sie mal ruhig. Ich kümmer mich um die Kinderchen." Die Nachbarin ist aus Ostpreußen. Zu Claire hat sie schon mal Marjellchen gesagt. Das soll auf Ostpreußisch Mädchen heißen.

Es ist August. Es ist heiß. Claire legt sich früh ins Bett, es ist noch ganz hell. "Ich fühl' mich nicht wohl", sagt Claire. "Kopfschmerzen."

Sie misst ihre Temperatur und stellt Fieber fest.

Gegen Abend, als es endlich dunkel wird, ist es schlimmer. "Du solltest etwas tun", sagt sie zu Bogdan. Der Nachbarin haben sie nichts gesagt. Claire mag ihre kalten Hände nicht, sie fürchtet klamme Berührungen und Hausmittel, die bei der Nachbarin alle was mit kaltem Wasser und Eiswürfeln zu tun haben: Kalte Wadenwickel. Kalte Kompressen. Kalte Duschen.

Bogdan bringt aus dem Badezimmer das Kästchen, in dem die Hausapotheke ist. "Hier ist etwas, was das Fieber senkt", sagt er nach einigem Kramen und Buchstabieren triumphierend. Er kennt die Zäpfchen. Er hat sie von der Oma selber schon bekommen, als er mal Fieber hatte.

"Zäpfchen?!" fragt Claire. Sie klingt beunruhigt.

"Man tut sie hinten rein", sagt Bogdan stolz. Er freut sich über sein Wissen.

"Hinten rein?" macht Claire gedehnt. Sie schaut ihn an, als ob sie ihn noch nie gesehen hätte. "Das kommt überhaupt nicht in Frage. Dann doch lieber Wadenwickel."

"Wickel helfen nicht", sagt Bogdan wie ein Arzt. "Zäpfchen helfen sofort." Er erzählt ihr umfangreich, wie gut sie ihm geholfen haben. "Das Fieber war sofort weg. Sofort." Ihm fallen Wunderdinge über Zäpfchen ein.

"In den Po", sagt Claire. Es klingt nachdenklich.

Bogdan merkt, dass ihr Widerstand schmilzt. "Schmerzen weg! In Nullkommanichts", sagt er noch einmal. "Du wirst sehen."

"Na, ich weiß nicht", sagt Claire.

"Was?"

"Wie man das macht."

"Ich weiß, wie", sagt Bogdan. Er sagt es so schnell, dass er sich dabei fast an seiner Spucke verschluckt. Eine innere Stimme warnt ihm, dass er aufpassen muss, sonst versaut er sich alles. "Ich weiß wie", sagt er noch einmal. Betont langsam. Betont gleichgültig.

Die Angst vor dem Fieber ist schließlich stärker als Claires Bedenken. Bogdan gibt Anweisungen wie ein richtiger Arzt. "Du musst dich auf den Bauch legen", sagt er sachlich. Als Claire sich auf den Bauch gewälzt hat, zieht er die Decke von ihr weg. "Untersteh dich", sagt Claire und hält die Decke mit nach hinten gestreckten Händen fest, bevor er sie weit genug runter hat.

"Und wie soll das Zäpfchen helfen?" fragt Bogdan vorwurfsvoll. Er beglückwünscht sich zu dieser Formulierung. Nicht: "Wie soll ich dir das Zäpfchen in den Po schieben?" Sondern: "Wie soll das Zäpfchen helfen?" Bravo, Bogdan! sagt die innere Stimme. Weiter so, Bogdan!

Claire überlegt und gibt dann die Decke frei. Es gibt Augenblicke, da gilt für alle Menschen die gleiche Logik. Sogar für Mädchen und Jungen. Er schiebt die Decke bis ans Fußende des Bettes und sagt beruhigend: "So, das werden wir gleich haben." Das hat die Oma auch gesagt.

Claire hört ganz vernünftig zu, als er ihr den weiteren Teil der Behandlung erläutert: "Ich muss jetzt das Nachthemd nach oben schieben", sagt er. Geschäftsmäßig klingt das, obwohl er merkt, dass sein Kopf zu schwimmen beginnt. Ihm ist fast schwindlig.

Aber Claire reagiert nicht vernünftig. "Nein", sagt Claire.

"Muss aber sein", sagt Bogdan. "Muss sein."

"Nein!"

"Und wenn das Fieber schlimmer wird? Wadenwickel? Kalte?"

Claire überlegt. "Aber nur ein bisschen", sagt Claire. "Nur ein ganz klein bisschen hoch das Hemd."

Bogdan hebt das Nachthemd ein bisschen und noch ein bisschen mehr. Claires Schenkel erscheinen.

"Nicht zu viel!"

Claires Po erscheint, nachdem er den magischen Ort überschritten hat, an dem die Oberschenkel zusammengewachsen sind.

Claires Po lässt seinen Atem stocken. Claires Po frisst sich wie mit

Feuer gebrannt in sein Gedächtnis ein. Nie mehr, das weiß er, wird er dieses Bild vergessen. Es wird ihn bis zum letzten Tag seines Lebens begleiten. Irgendetwas beginnt in seinen Haarspitzen und rieselt langsam die Haut herab, bis es seine Zehen erreicht. Jahre später lernt er, was das war: Wollust.

Claires Po! Noch nie war er diesem samtigen, cremigen Elfenbein so nah. Vor ihm schimmern zwei weiße Hälften, alles in Bogdan will dahin, sein Mund möchte hineinbeißen. Claires Duft steigt, vom Nachthemd befreit, zu ihm hoch. Der Geruch des Fingers vom anderen Abend ist dabei. Bogdans Kopf füllt sich mit rosaroter Watte.

"Nun mach schon", sagt Claire. Sie hat ihr Gesicht im Kissen vergraben. Ihre Stimme klingt fremd.

"Es ist nötig, dass du die Beine auseinander machst", hört Bogdan sich sagen. "Breit musst du sie machen."

Claire rührt sich nicht. Er fasst zu ihren Oberschenkeln hin. "Untersteh dich!" ruft Claire alarmiert und beugt den Hals zurück. Sie dreht den Kopf zu ihm hin. "Untersteh dich!"

Warum springt sie nicht auf?

"Du musst sie aber breit machen", hört Bogdan sich beharrlich wiederholen. "Sonst geht es doch nicht."

Claire steckt ihr Gesicht ins Kissen zurück. Sie macht die Beine ein wenig auseinander, macht den Anfang für ihn. "Beeil dich! Mach schnell!"

Bogdan reißt sich von ihrem Anblick los. Er weiß, dass er nicht nach dem rosa Schlitz suchen darf, der sich unterhalb der fest zusammengepressten Pobacken verbirgt. Er weiß, dass er die lackschwarzen Haare jetzt nicht streicheln darf. Er schaut sich um. Wo sind die Zäpfchen? Fast hätte er vergessen, dass die Zäpfchen die Hauptsache sind, der Schlüssel zu all dem. Er nimmt ein Zäpfchen vom Nachttisch und polkt es aus seiner Staniolumhüllung. Das Zäpfchen fühlt sich zwischen seinen Fingern fettig an. Es riecht nach Kokosnuss, so, als ob es auch ganz gut schmecken würde.

"Ein bisschen breiter noch", hört er sich sagen. "Einen Augenblick." Er schiebt die Schenkel mit einer Hand auseinander. Er zieht mit den Fingern derselben Hand ihre Pobacken auseinander und hört sich: "Kneif sie nicht so zusammen!" sagen. Und er hört sich: "Jetzt stillhalten!" befehlen, als Claire zu zappeln beginnt.

Vor ihm liegt das Paradies, das endgültige Ziel seiner Augen und aller seiner Sinne, so empfindet er das jedenfalls: Oberhalb ihres Schlitzes, der rosarot durch die schwarzen Haare schimmert und von zwei kleinen Wülsten zusammengedrückt wird, läuft eine gerade Linie zu einer Knospe hin, die sich nach innen zusammenzieht. Er muss an einen Luftballon denken, da, wo man reinpustet, und unwillkürlich spitzen sich seine Lippen. Er weiß, dass er nicht viel Zeit hat, er weiß, dass Claire ihm wenig Zeit gibt zu betrachten und anzubeten. Er muss alles wie im Traum tun, wo in Sekunden, das weiß er, Jahre vergehen. Er spürt das Zäpfchen in seiner linken Hand, beginnendes Schmelzen zwischen Daumen, Zeige- und Mittelfinger. Seine linke Hand bewegt sich auf die Knospe zu. Er führt das Zäpfchen ein.

Das Zäpfchen verschwindet ohne Widerstand, durchfährt das unsichtbare Loch in der Mitte der Knospe. Die Knospe schließt sich um das Zäpfchen. Das Zäpfchen hinterlässt am Knospenrand eine fettige Spur. Aus der Wärme heraus steigt der Geruch von Kokosfett und Claire zu ihm hoch. Bogdan hofft, dass das Zäpfchen tief genug drin ist. Er schiebt zur Sicherheit seinen kleinen Finger hinterher. Er schiebt ihn so tief hinein, wie es nur geht.

Claire atmet scharf aus. "Das ist groß!" sagt sie undeutlich ins Kissen hinein. Sie klingt, als ob sie sich das Kissen in den Mund gestopft hat.

Bogdan spürt, wie sein kleiner Finger zu zucken beginnt. Er spürt, wie sein Glied sich gegen seine kurze Hose drängt und ebenfalls zuckt. "Gleich ist es gut", hört er sich sagen und auch seine Stimme klingt, als ob sie ihm nicht gehört. Er spürt, dass ein Zucken Claire durchläuft und dass etwas für einen ewigen Augenblick seinen kleinen Finger festzuhalten scheint und sich pulsierend um ihn zusammenkrampft.

Während er langsam den Finger aus Claire herauszieht, läuft ihm heißer Samen in kleinen Stößen in die Hose. Er zieht das Nachthemd über ihren Po zurück und über ihre Schenkel. Er hofft, sie spürt sein Zittern nicht. Er zieht die Decke wieder über ihren Leib. "Fertig", sagt er mit trockenem Mund und versucht, ganz normal zu klingen. "Du kannst dich wieder umdrehen."

Claire dreht sich um."Du bist blass", sagt sie und betrachtet ihn nachdenklich. "Du bist blass, mein kleiner Cousin."

Bogdan versucht ein Lachen. "Jetzt kriege ich bestimmt auch Fieber. Angesteckt."

"Dann bekommst du von mir ein Zäpfchen", sagt Claire. Sie dreht sich um und schläft ein. "Gute Nacht", hört er sie murmeln.

"Lieber Gott", betet Bogdan im Bett. "Mach, dass ich ganz schnell Fieber kriege." Er spürt noch immer seinen kleinen Finger in Claire, er holt die Hand unter der Decke hervor, wo sie mit seinem Glied gespielt hatte, und er riecht jetzt Claires und seinen Geruch zusammen. Neben ihm im anderen Bett atmet Claire ruhig. Ihr Fieber ist gegangen. Bogdans Fieber kommt.

"Habe ich Fieber?" fragt Bogdan.

"Hundertvierzehnneun", sagt Krystina. Sie wischt das Thermometer an ihrem weißen Brautkleid ab."Die Ärztin ist schon weg."

"Kein Zäpfchen?" fragt Bogdan. "Kein Zäpfchen?"

Krystina zuckt die Achseln und verlässt den Raum. "Bin ich deine Mutter?" hört er sie fragen.


10

*APARTMENT IN CASTELLDEFELS.*


"Was macht ihr denn hier?" fragt Bogdan. "Was zum Hölle wollt ihr hier?" Vom Bett aus hat er gesehen, dass zwei Frauen am Strand sitzen. Vom Bett aus hat er einen Sprung zum Strand gemacht, er ist jetzt noch verblüfft, dass ihm das so einfach gelungen ist. Hunderte von Metern in einem einzigen Hopser. "Was macht ihr denn hier?"

Undine und Frigga zucken die Achseln. "Was sollen wir schon tun? Sonnen. Und außerdem: Wo kommst du denn her?" Die Oberteile ihrer Bikinis liegen neben ihnen im Sand. Frigga cremt Undine ein. "Pass auf, dass kein Sand mit raufkommt", sagt Undine.

"Ihr geht besser nach Castelldefels zurück", sagt Bogdan. "Hier kriegt ihr sofort einen Sonnenbrand. Tropen."

Die beiden stehen auf. Sie sind schneller weg, als Bogdan das begreift. Nur die Oberteile der Bikinis liegen noch am Strand. Er bückt sich nach ihnen, um sie aufzuheben, aber sie fliegen davon und krächzen dabei wie die Raben. Bogdan rennt hinter ihnen her ins Bett zurück. Die Raben lachen und lassen etwas fallen. Das meiste geht auf die Bettdecke. Einen Spritzer bekommt Bogdan ins Gesicht. "Ihr Schweine!" schimpft Bogdan hinter ihnen her.

Castelldefels. Bogdan wartet schon seit einer Woche auf die beiden Mädchen. Eigentlich müssten sie längst hier sein. Bogdan ist beunruhigt. Es ist Friggas erstes Auto. Sie hat gerade den Führerschein gemacht. Das Auto ist ein Fiat fünfhundert. Viel zu klein für die lange Reise.

Vorgestern hat ihn der Besitzer der Strand-Apartments gefragt, ob er das zweite Apartment noch weiter reservieren wollte. "Vielleicht kommen Ihre Damen nicht." Er wollte es für neue Gäste haben: "Jetzt ist hier Hochsaison. Schade um Ihr Geld, und schade um meins." Die Leute bieten jetzt jeden Preis für eine Bleibe. "Wenn sie überhaupt noch kommen, tue ich Ihnen eine Extra-Matratze ins Zimmer mit rein."

Der Besitzer war mit ein paar Groschen von Berlin nach Castelldefels gekommen. Die Apartments sind so klein, wie sein Geldbeutel damals: Zimmerchen mit Koch- und Duschnische. Toilette hinter einem Vorhang. Wasser, das nur tropfenweise aus dem Hahn kommt.

Wasser, das brackig schmeckt. Aber immerhin: Die Apartments liegen direkt am Strand, so nahe dran, dass die Autos oftmals stecken bleiben, wenn sie die Anfahrt durch den Sand versuchen. Dann hilft ihnen der Fischer von nebenan, der, dessen Frau dort in einem Verschlag für die Touristen, die es urig wollen, Fische brät. Mit der Schiebehilfe verdient sich der Fischer ein Trinkgeld.

Das Mädchen fünfzehn Meter rechts von Bogdan am Strand hat seinen BH abgemacht. Es liegt in der Sonne wie ein erschossener Soldat im Kinderspiel: Arme breit, Beine breit, Kopf zur Seite. Bogdan betrachtet ihre Brüste,  sie sind fest, sind nicht zur Seite weggerutscht, eine Brust ist kleiner als die andere, das ist die linke, und wenn Bogdan die richtige Position einnimmt, den Kopf fast auf Bodenhöhe bringt, kann er über ihre Nippel zielen wie über Kimme und Korn und ein Schiff am Horizont beobachten: Langsam zieht es an seinem Visier vorbei, für einen Augenblick steht schwarzer Rauch über den Brüsten.

Der Fischer sitzt im Schatten unter dem Verschlag, in dem der Fisch gebraten und gegessen wird. Hinter ihm singt seine Frau ein schrecklich schrilles Lied. Bogdan denkt, das tut sie, um die Fliegen zu verscheuchen, die sie beim Fischeschuppen umschwärmen. Der Fischer stiert zu dem Mädchen hinüber. Seine Frau ist fett und das schwarze Kleid, in dem sie den Fisch putzt, an dem sie sich die knotigen Hände abwischt, ist schmierig. Ein paar Schuppen glitzern darauf. Der Fischer schläft, so heißt es, nur noch in Notwehr mit ihr, nur wenn er gehörig betrunken ist. "Sturzbesoffen muss er sein, um die Olle zu geigen", sagt der Berliner Apartment-Besitzer. Er lacht. Ihm kann das nicht passieren. "Bei mir gibt´s immer Weiber", sagt er und macht mit dem Kopf eine Bewegung zu den Apartments hin. - "Und Elke ist im Sommer immer nicht da." Elke ist seine Frau. Sie kann die Hitze nicht vertragen.

Der Fischer möchte gern die Kleine am Strand betatschen, das sieht man, wenn man ihn beobachtet: Seine Pfoten gleiten ruhelos auf seinen Schenkeln hin und her, während er unentwegt auf das Mädchen starrt. Ihre nackten Brüste verursachen etwas bei ihm in der Hose, das er von Zeit zu Zeit zurechtrückt. Aus dem Betatschen wird aber wohl nichts werden, denn der Fischer stinkt, das weiß er selbst, den Namen Stinkbär, den ihn alle rufen, hat er nicht umsonst. Er darf auch, wenn Gäste kommen, nicht unter dem urigen Verschlag erscheinen, dem, mit seinen alten Tischen, den Wachstuchdecken und dem Spucknapf in der Ecke aus der guten alten Zeit. Seine Frau schickt ihn hinaus. Auch sie riecht, das ist wahr, aber bei ihr fällt das nicht so auf. Sie riecht wie das Produkt ihrer Arbeit - wie altes Öl und Fisch. Er riecht wie nichts sonst auf der Welt. Stinkbär ist fast noch ein Kompliment. Das sagt jedenfalls der Besitzer der Apartments und lacht dabei laut. "Der stinkt wie'n Otter, der schon drei Tage tot ist."

Bogdan langweilt sich inzwischen in Castelldefels. Von den beiden Frauen, die da kommen sollten, ist eine halbwegs seine Freundin. Halbwegs heißt, er hat mit ihr geschlafen, schlecht und recht in ihrer Wohnung, als der Bruder weg war und die Mutter auch. Sie haben sich auf ein enges Sofa gedrängelt und Frigga hat ihm "Du Guter, du Guter!" ins Ohr geflüstert. Weil sie aus Dresden ist, klang es komisch. Außer Sächsin ist Frigga siebzehn, zehn Jahre jünger als Bogdan. Bogdan ist fast ihr erster Mann, und sie möchte ihn gern haben, weil er einmal gesagt hat, dass er Sächsisch mag. Bogdan bereut inzwischen die leichtfertige Äußerung. Sächsisch ja, Frigga nein.

Friggas Freundin hat er noch nie gesehen. Sie soll zwei Jahre älter sein als Frigga, ein bisschen größer, und "sie hat hübsche Hände", hat Frigga neidisch gesagt. Frigga hat kurze Stummelfinger, überhaupt sind Arme und Beine bei ihr zu kurz geraten. Die Mutter muss da was genommen haben, als sie schwanger war, irgendeine schädliche Arznei. Was Frigga attraktiv macht, das sind ihre schwarzen runden Kulleraugen. Im Bett ist sie furchtsam wie ein Kaninchen, die Gründe dafür hat sie ihm ins Ohr geflüstert: "Er hat mir, als ich klein war, immer den Bimmel in den Mund gesteggt."- "Wer?"- "Mein Bruder."- "Und du hast ihn gelassen?!"- "Musste ich doch. Er hat mir mal die Münze aus der Muschi rausgeholt. Sonst hädders doch der Mudder gebetzt." Die Münze, sagt sie, war aus Versehen da hineingekommen. Sie wollte nur mal sehen, ob sie in den Schlitz passt. "Ist ja wie 'ne Spardose, weest du."

Das Mädchen mit den Kimme- und Korn-Brüsten rekelt sich und dreht den Kopf zu Bogdans Seite hin. Es streckt sich träge und winkelt die Beine an. Es setzt sich auf und grabscht gähnend nach seiner Strandtasche. Es zieht erst eine gelbe Flasche heraus, Delial Sonnenmilch, um sich davon etwas ins Gesicht zu tun, dann auf die Arme. Es wischt sich die Hände am Badehandtuch ab und ärgert sich, dass die Hände sandig werden. Bogdan kann hören, dass es leise "Scheiße!" schimpft. Es merkt, dass Bogdan es beobachtet und macht eine schnippische Kopfbewegung. Es merkt, dass auch der Fischer es beobachtet und lächelt ihm zu. Stinken mag er ja, aber immerhin ist er ein Spanier, olé! Der Fischer kratzt sich heftig im Schritt. Er hebt dabei den Kopf schräg nach oben. Er erinnert Bogdan an einen Hund, der sich floht.

Das Mädchen wühlt ein zweites Mal in seiner Tasche, findet ein seidiges Halstuch, an dem es sich die Hände abwischt. Findet dann ein Päckchen Zigaretten und ein Feuerzeug. Es versucht, sich eine Zigarette anzuzünden, aber die leichte Brise, die vom Meer her weht, will das nicht gestatten. Der Windhauch bläst die Flamme immer wieder aus. Nach einigen Fehlversuchen wälzt sich das Mädchen auf den Bauch und versucht, den Kopf tief auf dem Handtuch, ein zweites Mal sein Zigarettenglück. Bogdan und der Fischer merken gleichzeitig, dass es einen hübschen runden Hintern hat Der Fischer denkt an seine Frau und hustet ärgerlich, dann spuckt er das Ergebnis aus. Bogdan denkt an die beiden, die er erwartet. Trotzdem steht er auf und geht die paar Schritte zu dem Mädchen hinüber. Der Fischer verfolgt ihn mit schwarzem Blick und wütend verkniffenen Lippen.

"Kann ich helfen?" fragt Bogdan. Er kniet neben dem Mädchen nieder. "Wenn ich mich so vor den Wind stelle..."

Das Mädchen versucht es noch einmal, aber die Flamme geht aus, bevor die Zigarette glimmt.

"Soll ich mal versuchen?" fragt Bogdan. Er nimmt sich eine Zigarette aus der Packung auf dem Handtuch, er nimmt dem Mädchen das Feuerzeug aus der Hand. Er zündet die Zigarette an. Er macht einen Zug. Er gibt sie dem Mädchen.

Das Mädchen zögert, es weiß nicht, ob es die Zigarette zwischen die Lippen tun soll, schließlich, den Mann kennt man doch gar nicht, und was der alles haben kann...

Bogdan lächelt dem Mädchen aufmunternd zu, und es lächelt schließlich zurück. Der Bann ist gebrochen. "Bogdan heiße ich."

Das Mädchen heißt Jutta. "Wir könnten heute Abend irgendwo essen gehen", schlägt Bogdan vor. "Und hinterher was trinken und tanzen."

Jutta nickt. Ihre Brüste nicken mit. Sie sehen aus, als ob sie Bogdan mögen. Bogdan mag sie auch, und er gibt ihnen das mit einem Lächeln zu verstehen.

Sie rauchen und schweigen. Der Fischer ist aufgestanden und hat sich hinter den Verschlag verzogen. Er ist ein schlechter Verlierer. Vielleicht ist heute der Tag, an dem er sich besäuft und seine Frau was anderes vom Leben hat als Fischeschuppen.

Das kleine Auto hören sie, bevor sie es sehen. Es windet sich mit überdrehendem Motor zwischen den Bäumen hindurch, die den Strand von der Straße abgrenzen. Es fährt auf den Sandstrand, und seine Räder mahlen sich dort sofort fest. Die Reifen beginnen zu qualmen, der Sand schmirgelt ihr Profil herunter, und hinter dem Lenkrad drückt jemand auf die Hupe.

"Festgefahren", sagt Jutta triumphierend. Sie steht auf und merkt, dass sie immer noch oben ohne ist. Sie lächelt, wie jemand, der jemandem gefällig war und jetzt gleich "nichts zu danken" sagen wird. Sie beginnt, den BH in ihrer Tasche zu suchen. Bogdan beugt sich über sie und sucht mit. Er drängt sich ein wenig gegen sie und findet als erster das Oberteil. Durch ihre Badehose und durch seine Badehose hat er ihren Hintern gespürt, ein festes niedliches Ding, das dem Druck nicht ausgewichen ist.

"He!" ruft es hinter ihnen. die Tür des Autos öffnet sich, und Frigga fällt heraus. "Verbibscht", schimpft sie sanft und sächsisch. "Wir steggen fest!"

Auf der anderen Seite öffnet sich die andere Tür. Undine steigt heraus und lächelt ihn an.

"Kennst du die beiden?" fragt Jutta mit plötzlich dünner, spitzer Stimme. Und als er nickt: "Ich dachte, wir wollten heute abend..." Sie beendet den Satz nicht. Sie legt sich wieder auf das Handtuch und zieht den BH wieder aus. Bogdan muss an Angler und an Köder denken. Neuer Wurm, neue Chance.

***

Sie teilen sich das eine Zimmer im Apartment. Der Besitzer hat ihnen eine Matratze gebracht, nicht ohne Neid, wie es Bogdan auf einmal schien. Bogdan und Frigga schlafen im Doppelbett. Undine schläft neben ihnen am Boden auf der Matratze. Undine wälzt sich die ganze Nacht unruhig hin und her. Frigga erzählt flüsternd von ihrem Bruder, und dass sie sich seitdem vor Sperma ekelt. Auf Sächsisch klingt das komisch: Schberma. Bogdan lacht und Undine wird wach. "Was ist?" murmelt Undine.

Am nächsten Morgen ist Undine früh am Strand, und als sie zurückkommt, fragt ihr Blick erst Frigga und dann ihn, ob sie die Zeit genutzt haben. Beide tun, als ob sie nicht verstehen. "Das Wasser ist überhaupt nicht kalt", sagt Undine. "Geh doch auch mal rein." Sie will auf die Toilette hinter dem Vorhang und macht eine entsprechende Geste für Frigga. "Sie hat Angst, dass sie pupsen muss und du hörst es", sagt Frigga, als sie zum Wasser rennen.

Am Abend sitzen sie gemeinsam auf der Terrasse. Undine hat gekocht, Frigga hat geholfen. Bogdan hat den Tisch gedeckt. Sie essen, und sie trinken Wein. Undine hat ein geblümtes langes Tuch um sich gewickelt, Undine sieht wie eine römische Statue aus. An Undine ist alles lang, was an Frigga kurz ist. An Undine findet Bogdan alles richtig. Dora?. Unter der weißen Haut ihres Halses ahnt er blassblaue Äderchen. Bogdan hat genug getrunken, und er singt parodierend: "Ihre dunklen Haare lieblich in Locken flossen und ein Schwanenhals wie aus Alabaster gegossen..."

Der Besitzer der Apartments kommt vorbei. Er bleibt vor ihnen stehen. Auch er hat etwas getrunken, denn er sagt mit einer Mischung von Hochachtung und Neid und mit unfehlbarem Berliner Taktgefühl: "Ich würde auch singen bei zwei Frauen und eine so schön." Frigga trinkt einen großen Schluck aus ihrem Glas, die Worte des Mannes haben ihren Hals noch kürzer werden lassen, sie hat ihn zusammen mit ihrem Kopf regelrecht eingezogen, sie versucht, ihre Finger zu verstecken.

Als die zweite Literflasche auch schon zur Hälfte leer ist, erklärt Undine, dass sie nicht mehr auf dem Boden schlafen kann. "Ich schlafe auf dem Boden", sagt Bogdan schnell. Es kommt ihm wie gerufen. Noch eine sächsische Nacht möchte er nicht verleben. Frigga und ihr Bruder sollen ihr Sperma für sich behalten.

Undine denkt nicht daran, sein Angebot anzunehmen. "Dann kannst du ja auch nicht schlafen."

"Doch", sagt Bogdan.

"Nein."

Sie schweigen eine Weile. Bogdan versucht zu raten, was er sagen soll. "Es gibt kein zweites Zimmer", sagt er schließlich. "Leider. Alles voll."

"Alles voll, leider", sagt auch der Besitzer der Apartments. Er ist schweigsam geworden. Er trinkt und denkt. Soll er sagen, dass bei ihm persönlich noch...? Und wenn er dann die Sächsin kriegt? Er schüttelt sich. "Der Wein", sagt er. "Zu viel Wein."

"Aber wenn du nicht mehr auf dem Boden schlafen willst", sagt Frigga sanft und sächsisch, "dann können wir uns ja abwechseln. Mal wir auf dem Boden", sie fasst Bogdan an der Schulter an, "mal ihr im Bett." Sie denkt nach, was sie gesagt hat und kichert. "Ich habe wohl zu viel gepichelt", sagt Frigga. "Natürlich wir im Bett."

Bogdan fühlt Undines Blick. Er schaut zu ihr hin, reist durch ihr Gesicht und ihre Gedanken und bleibt an ihren Augen hängen. Er sagt, was Undine ihm mit ihrem Blick zu sagen aufträgt: "Zur Not könnten wir doch alle drei..."

Frigga antwortet nicht. Die Weinflasche ist fast leer, ein Windstoß löscht die Kerze. Bogdan spürt in der Dunkelheit, die sie für einen Augenblick alle blind macht, Undines Hand auf seiner Hand.

"Dann werd´ ich mal gehen", sagt der Apartment-Besitzer lustlos und enttäuscht. "In die Falle", fügt er hinzu. "Wenn´s gar nicht anders geht, dann kann ja..." Er beendet den Satz nicht. Er geht raus und schwenkt eine Hand. "Gute Nacht."

***

Sie schlafen zu dritt im Bett. Frigga trennt ihn von Undine, sie liegt in der Mitte wie ein Grenzpfahl. Nachts jedoch muss Frigga raus, weil der Wein nicht bis zum nächsten Morgen warten will, da geht der Schlagbaum hoch, und für ein paar Sekunden Ewigkeit umarmen sich Bogdan und Undine und ihre Körper ergreifen voneinander Besitz.

Den Rest erledigt Undine mit Entschlossenheit. Am nächsten Morgen beginnt sie zu weinen, sie weint und schluchzt noch am Nachmittag, kein Wort bekommt Frigga aus ihr heraus, bis sie endlich begreift und am Abend beim Fischer und beim Fisch verkündet: "Ich glaube, heute Nacht werd´ ich auf der Matratze schlafen."

Friggas sanfte Traurigkeit ertränkt Undine in Küssen. Undine strahlt. Sie tanzt vor ihnen her auf dem Weg zurück ins Apartment. Sie dreht sich im noch warmen Sand. Und sie singt. "I love you for sentimental reasons..."

*****

Das kleine Zimmer ist voll von ihrer Lust. Frigga ist weg. Frigga hat Jutta kennen gelernt, sie ist zur ihr gezogen in ein Apartment ein Stück weiter vom Strand weg. "Da gibt es zwei Einzelbetten. Außerdem ist es billiger für Jutta." Jutta hat nicht viel Geld. Sie hat sich das in Spanien ganz anders vorgestellt. So, wie im Prospekt. Romantische Mondscheinnächte. Gut aussehende Spanier mit pechschwarzem Haar. Mit feurigen Blicken. Mit neugierigen Händen. Drinks in der Bar. Gitarrenmusik zum Sonnenuntergang. Küsse unter Oleanderbüschen. Geflüsterte Schwüre am Strand: "Te quiero!" Dahinter das rauschende Meer. Festival der Sinne. Auch mal in die Disco eingeladen werden. Ins Restaurant. Paella. Sangria. Bisher hat sie nur der Stinkbär angeschaut. Bisher hat sie alles allein zahlen müssen.

Das kleine Zimmer ist voll von ihrer Lust. Auf dem Boden neben dem Bett stehen Flaschen und Gläser, ein Aschenbecher, spanische Zigaretten, ein Schuh von Undine. Ein rotes Höschen, auf dem "Tuesday" steht. Obwohl heute Freitag ist. Auf dem Boden neben dem Bett tickt eine alte Taschenuhr, sie gehört Bogdan, und sie sagt ihnen, wann es Morgen und wann es Abend ist, aber manchmal um acht wollen sie frühstücken, und die Sonne geht schon fast unter. Die Jalousien haben sie heruntergelassen. Es filtert nur wenig Licht ins Zimmer.

Jeden zweiten Tag bimmelt draußen eine Glocke, dann wissen sie, dass der Krämer mit dem kleinen alten Lieferauto da ist, es gibt frisches Brot und Obst und Wein und neue Zigaretten.

Das kleine Zimmer ist voll von ihrer Lust. Undine kommt mit einer großen braunen Tüte zurück. Sie hat nur einen Rock angezogen und eine Bluse. Bogdan weiß, dass sie darunter nichts trägt. Das Friday-Höschen liegt noch eingepackt im Koffer. Zwischen ihren Brüsten hält Undine eines von den dicken, langen spanischen Broten, die wie unförmige, von tolpatschigen Riesen geformte Baguettes aussehen. Sie knabbert am Brot und schaut ihn dabei an. Sie lächelt.

Bogdan grinst zurück. Er begreift, was sie sagen will. Sie verstehen sich oft ohne Worte. Undine liebt es, wenn er sein Glied zwischen ihre Brüste schiebt, wenn er mit beiden Händen aus ihren Brüsten eine enge Mulde formt. "So dick ist er aber nicht", sagt Bogdan, und macht mit dem Kinn eine Bewegung zur Baguette hin.

"Mir reicht's", sagt Undine und lacht.

Bogdan streckt den Arm aus: "Komm!" Er zieht sie zu sich aufs Bett, sie gibt ihm von dem Brot zu kosten, sie legt es seufzend beiseite, als er beginnt, ihre Bluse aufzuknöpfen. Undine hat große feste Brüste. Sie ist jetzt schon erregt, ihre Brustwarzen liegen wie harte braune Kiesel auf ihren Tellern. Bogdan küsst die Brustwarzen, schließt seine Lippen fest um sie herum, saugt sie tief in seinen Mund hinein, die Teller verschwinden jedes Mal hinter seinen Lippen. Er lässt los, packt sie erneut mit seinen Zähnen, packt zu. Undine seufzt. "Es ist schön, wenn es ein bisschen weh tut."

Bogdan reißt die Druckknöpfe an ihrem Rock auf, sie hilft ihm dabei, sie macht es ihm leicht, sie hebt ihren Hintern hoch. Sein Gesicht ist nahe an ihrem Bauch, es riecht dort noch warm nach ihnen , nach ihrer Nacht. Bogdan gräbt seine Zähne tief ihn ihren dichten Busch, er sucht mit der Zunge, sucht und findet ihren Kitzler, er findet ihn, und Undines Kitzler schwillt an wie ein kleines Glied, er kann ihn in den Mund nehmen. Undine ist stolz auf ihren großen Kitzler, auf seine Schwellung und seine Erektionen. Sie sagt: "Ich habe einen Frauenschwanz!"

Der kleine Frauenschwanz ist in seinem Mund, seine Zunge streichelt und leckt um ihn herum, badet ihn, Undine kommt mit einem langen Seufzer: "Jaah!" Er bleibt mit dem Gesicht in ihrem Busch, er lässt die Zunge auf ihrem Kitzler. "Fick meine Brüste", hört er sie murmeln. Sie sagt das nie laut.

Er setzt sich zurück und wartet. Er wartet und schaut zu, wie Undine Sonnenöl zwischen ihre Brüste reibt. Sie legt sich hin und schließt die Augen. "Komm jetzt", sagt Undine.

Er legt sich auf sie und schiebt sein Glied zwischen ihre Brüste. Er drückt die Brüste fest zusammen, macht einen Kanal, in dem sein Glied gleitet. Zwischen den Scheren seiner Finger sind die Nippel kieselhart.

Undine greift nach seinem Hintern, er weiß, da ist noch Öl an ihren Fingern, er weiß, dass sie jetzt einen Finger dort hineinschieben will. "Nein", sagt er. "Lass!"

Undine schiebt den Finger hinein. "Sag mir, was du tust."

"Ich liebe dich!"

Der Finger stößt härter zu.

"Ich bin zwischen deinen Brüsten."

Undines Finger fordert mehr. Er krümmt sich in ihm, er dreht sich. "Sag!"

"Ich ficke dich! Ich spritze!"

"Noch mal!" sagt Undine. "Schrei!"

"Ich ficke dich! Ich spritze!"

"Ja", stöhnt Undine. "Ja!" schluchzt Undine. Ihr Finger wird hart und dringt tief in ihn ein. "Ich komme! Verdammt noch mal, ich komme!"

Unter ihm zuckt Undine schluchzend und lachend durch einen langen Orgasmus. Bogdan badet ihren Hals in seinem Saft. Sie cremt sich damit ein. "Das gibt schöne Haut", sagt sie.

"Außerdem gilt Sperma", sagt er, "in Afrika bei manchen Stämmen als Verhütungsmittel."

"Wirklich?" fragt Undine. "Wirklich?"

"Wenn man es schluckt."

Sie schlägt nach ihm und beide lachen.

***

Nach einer Woche sieht man sich wieder öfter draußen. Frigga und Jutta sind inzwischen dunkelbraun gebrannt. Jutta betrachtet Bogdan neugierig. Sie lächelt und lässt zwischen den Lippen eine kleine flinke Zunge sehen. Undine sieht die Zunge auch.

"Interessiert sie dich?" fragt Undine. "Sie ist ganz schön hinter dir her."

"Sie interessiert mich nicht", lügt Bogdan.

Frigga tut, als ob es ihn nicht gibt. Sie lehnt sich gegen Jutta, und wenn sie am Strand spazieren gehen, legt sie den Arm um ihre Hüften. Wenn Bogdan hinschaut, küssen sich die beiden.

"Ich glaube, die haben sich gefunden", sagt Undine. "Möchtest du mal sehen, wie es zwei Mädchen miteinander tun?"

"Nein", lügt Bogdan. In Wirklichkeit träumt er davon.

"Ich weiß, du willst es sehen", sagt Undine. "Geh und kauf beim Fischer Wein und Gin." Sie will, sagt sie, am Abend eine ordentliche Sangria machen. "Ich lade die beiden ein."

***

Sie sitzen auf der Terrasse vor dem Apartment. Jutta und Frigga sitzen auf der einen Seite des Tisches. Undine und Bogdan auf der anderen. Zwischen ihnen steht der Topf mit der Sangria. Undine hat sie in einem Kochtopf angesetzt. Es gab nichts anderes in der Küche.

Frigga wollte zuerst nicht kommen. Frigga ist gekränkt. "Der ist Luft für mich", sagt sie auf sächsisch. Damit es jeder merkt, himmelt sie Jutta an und hält mit ihr Händchen.

Jutta steht auf. "Ich muss mal", sagt sie und verschwindet in Richtung auf den Strand.

"Ich auch", sagt Undine. "Warte."

"Du kannst auch hier", sagt Frigga und zeigt auf den Vorhang. Aber sie sind schon weg.

Bogdan sitzt mit Frigga allein. "Bist du mir böse?"

Frigga gibt keine Antwort. Sie füllt sich mit der Suppenkelle Sangria in ihr Glas und nimmt einen Schluck und gleich noch einen. Das Glas ist fast leer, und sie füllt es noch mal.

"Ich hab mich in Undine verliebt", sagt Bogdan.

"Vorher warst du in mich verliebt. Deinetwegen bin ich hierher gekommen."

"Du musst mir nicht böse sein."

Am Strand hören sie Stimmen. Kichern. Frigga richtet sich auf und schaut angestrengt in die Dunkelheit. "Was machen die beiden da?" Sie ist misstrauisch. Sie will aufstehen und nachschauen. Nimmt man ihr da schon wieder etwas weg?

"Bleib." Bogdan greift über den Tisch nach ihrer Hand. "Du musst mir nicht böse ein."

Sie zieht die Hand nicht weg. Sie schaut ihn an. In ihren großen schwarzen Augen sind schon wieder Tränen. Sie bemerkt es und streicht sie mit der freien Hand weg. "Ich kann den Rauch nicht vertragen", sagt sie. Aber niemand raucht.

Er steht auf und geht um den Tisch herum. Er bleibt in ihrem Rücken stehen und beugt sich nach vorn. Er umfasst von hinten ihre Brüste.

"Lass", sagt Frigga. "Lass!" Sie schiebt seine Hände von ihren Brüsten.

Bogdan lässt sie los. "Hast du dich in Jutta verliebt?"

Sie gibt keine Antwort.

"Sag doch schon."

"Was geht es dich an." Sie steht auf und schaut zum Strand. "Wo bleiben die denn?"

"Gehen wir sie suchen?"

Undine und Jutta liegen am Strand. Undine hat ihren Rock ausgebreitet, Jutta ihre Jeans.

"Was macht ihr da?" fragt Frigga traurig.

"Mach mit", sagt Jutta und kichert. Sie blinzelt ein wenig betrunken zu Bogdan hoch. "Du aber nicht", sagt sie und lacht.

Undine macht ihm ein Zeichen. "Besser, wir gehen ins Apartment zurück", sagt sie. "Hier können sie uns sehen. Wenn die Guardia Civil uns sieht..." Die Guardia Civil bewacht hier nachts den Strand. Sie versuchen, Drogenhändler zu fangen. Drogenhändler und Zigaretten-Schmuggler.

"Ich will nicht", sagt Frigga.

"Sei kein Spielverderber", sagt Jutta ziemlich grob.

"Wir haben dich vermisst", sagt Undine diplomatischer.

Sie sind wieder auf der Terrasse. Undine bläst die Kerze aus. Frigga trinkt noch eine Kelle Sangria. "Kommt rein", sagt Undine und zieht die Tür hinter ihnen zu.

Innen umarmt sie Frigga. "Jutta hat mir gesagt..."

"Was?"

Undine flüstert Frigga etwas ins Ohr.

"Stimmt nicht", sagt Frigga. Sie hat jetzt eine schwere Zunge.

"Schau mal", sagt Undine. Sie zeigt auf das Bett.

Frigga macht die Augen auf. Es fällt ihr schwer. Auf dem Bett liegt Jutta. Sie hat nur ihr Höschen an. Sie lächelt zu Frigga hoch. "Komm doch", sagt sie. "Du bist müde. Wir schlafen, ok?"

Undine hilft ein bisschen nach und schiebt Frigga zum Bett hin. Jutta umarmt Frigga und zieht sie zu sich hinunter. "So", murmelt sie. "So."

Bogdan sitzt auf dem Boden auf der Matratze. Undine sitzt neben ihm. Undine hat die Hand auf seinem Oberschenkel. Die Hand sucht den Reißverschluss seiner Jeans. "Was haben wir denn da Schönes?" flüstert sie ihm ins Ohr und tut erstaunt. Sie fummelt an seinem Reißverschluss und nestelt sein Glied heraus.

Bogdan sieht, dass Jutta Friggas Kopf in ihren Schoß gezogen hat. Bogdan sieht, dass Friggas schwarzer Schopf zwischen Juttas Schenkeln liegt. Er sieht, dass Jutta jetzt kein Höschen mehr anhat. Er sieht, dass auch Frigga nackt ist. Er sieht, dass Jutta Friggas Kopf in den Händen hält, ihn streichelt, ihn schiebt. Er spürt zur gleichen Zeit, wie Undine sein Glied mit ihrem warmen, feuchten Mund umhüllt, er hört das leise Schmatzen.

Jutta beginnt zu stöhnen. Sie hält Friggas Kopf jetzt ganz fest, drückt ihn ganz fest in ihre Schenkel. Ihr Stöhnen wird lauter.

Frigga macht ein komisches Geräusch und befreit ihren Kopf aus Juttas Händen. "Ich erstigge", sagt sie auf sächsisch. "Ich griege geene Luft." Sie steht auf. "Müde", murmelt sie. Sie schwankt und fällt fast hin. Sie hält sich an der Gardine fest und reißt einen Teil davon herunter.

Undine entlässt Bogdans Glied aus ihrem Mund. "Pass auf!" sagt sie besorgt zu Frigga. "Geh am besten schon nach Hause. Jutta kommt gleich nach."

"Ich komme gleich nach", verspricht Jutta. Bogdan sieht, dass sie eine Hand zwischen ihren Schenkeln hat. Die Hand bewegt sich langsam hin und her. Der Zeigefinger und der Mittelfinger schieben die Schamlippen auseinander. "Schamlippen", denkt er. "Wie kommt man nur auf solche Worte?" Der Mittelfinger ist fast verschwunden. Bogdan beneidet ihn.

Undine steht auf und hilft Frigga, ihren Rock anzuziehen. Sie hilft ihr auch in die Bluse. Sie gibt ihr ein Höschen, das neben dem Bett liegt. "Das ist aber nicht meins", sagt Frigga. Sie bückt sich nach einem anderen und fällt dabei fast um. "Sei vorsichtig, dass du in der Dunkelheit nicht fällst", sagt Undine in der Tür.

Undine legt sich zu Jutta. Undine nimmt Juttas Hand, die immer noch zwischen ihren Schenkeln ist und küsst sie. Sie nimmt Juttas Finger in den Mund und führt die Hand dann zwischen ihre Schenkel. Bogdan schaut zu. Und Bogdans Glied schaut zu. Sie beide sehen, wie Undine Jutta küsst, wie ihre Zungen miteinander tanzen. Sie sehen, wie ein Finger durch Undines Spalte zieht, sie sehen, wie Undine Juttas Haare packt. Sie sehen Juttas Hintern, hoch aufgerichtet, er bewegt sich im Rhythmus ihrer leckenden, lutschenden Zunge. Sie sehen Undines Hand zwischen Juttas Backen forschen und einen Finger, der von hinten in Juttas cremige Spalte fährt.

Bogdan stolpert auf die Füße. Er hält Undines Hand fest, damit sie dort bleibt und schiebt seinen Schwanz neben ihren Finger in Juttas Loch. Er begegnet dort dem Druck von Undines Finger. Er fühlt in dem viel zu engen Gang, dass Undines Finger seinen Schwanz berührt. Der Finger zappelt neben ihm. "Wir tun es beide mit ihr!" sagt Undine. "Wir tun es beide!"

Dann sieht sie, dass Bogdan den Daumen in den Mund steckt, und sie weiß, was jetzt geschieht. "Lass mich zuschauen", flüstert Undine. "Lass mich sehen, wie er reingeht!" Sie zögert einen winzigen Augenblick und flüstert dann fast unhörbar: "In ihren Po."

"Oh!" sagt Jutta. "Ohhh!" Es klingt erstaunt.

Zu dritt im Bett wachen sie irgendwann auf, weil Frigga an die Tür klopft: "Das war auch nicht mein Höschen", hören sie sie rufen. Bogdan lässt sie rein, und dann schlafen sie zu viert im Bett.


11

*UNDINE EIN ZWEITES MAL.*


"Warum hat das Telefon geklingelt? Und warum ist keiner dran?" Bogdan schreit in den Hörer. "Ich weiß, dass du das bist, Undine. Gib zu, dass du es bist."

Undine ist jetzt zwanzig Jahre älter. Sie haben sich nach Castelldefels nur noch einmal gesehen. Durch Zufall. In Köln auf der Domplatte."Ich bin gespannt, wie du aussiehst", sagt Bogdan ins Telefon.

Sie steht vor seinem Bett. Sie nimmt ihm den Hörer aus der Hand und wirft ihn aus dem Fenster. Der Hörer fliegt und keckert wie eine Elster. "Stehst du nie mehr auf?" fragt Undine.

"Nur nicht, weil ich wusste, dass Du kommst." Bogdan lacht.

Sie ist älter geworden, das ist wahr. In ihrem Haar sind weiße Strähnen. Sie ist dicker als damals. Aber Bogdan ahnt, er weiß, dass unter diesem dunklen Kleid, das sie wie eine alte Frau aussehen lässt... "Komm ins Bett", sagt er.

Undine lacht. "Bist du verrückt? Deine Frau...?"

"...ist in der Stadt." Bogdan hebt die Decke hoch und lässt sie sehen, dass er nackt ist. Er zeigt mit der Hand auf sein Glied. "Sieh mal." Sein Glied ist dick und geschwollen, vorher hatte es die Decke in der Mitte hochgehoben.

"Ah", macht Undine höflich mit einem halben Knicks, als ob sie ein Menuett miteinander tanzen. Und wo kommt die Musik her, die Bogdan dazu hört? "So groß hatte ich ihn nicht in Erinnerung." Sie streckt vorsichtig ihre Hand aus. "Darf ich bitten?" Sie wartet Bogdans Antwort nicht ab.

Bogdan sieht, dass ihr dunkles Kleid erst heller wird, dass es durchsichtig wird, dass es ganz verschwindet. Er wundert sich. Er sieht auch noch etwas anderes: "Das ist ja jetzt..." Er spricht nicht weiter, kann vor Staunen nichts mehr sagen, und Undine vollendet für ihn: "Ein richtiger Schwanz", sagt sie. "Er ist von ganz allein gewachsen. Du weißt doch, mein kleiner Frauenschwanz..."

Er erinnert sich. "Und was machen wir jetzt?" fragt er unsicher.

Sie lacht. Sie legt sich neben ihn ins Bett. "Ich kann dich jetzt auch..."

"Was?"

"Wie ein Mann...."

"Was?"

"Ficken", flüstert Undine.

Undine ist stark. Das Geschlecht hat sie stark gemacht. Das starke Geschlecht. Sie dreht ihn einfach auf den Bauch. Sie greift mit beiden Händen seine Backen, zieht sie auseinander.

"Hey!" hört er sich sagen. "Bist verrückt?! Wo bleibt denn da die Zärtlichkeit?!" Er spürt ihren Frauenschwanz suchend zwischen seinen Backen. Er spürt, dass das verdammte Ding sehr groß ist. "Du wirst mir weh tun!"

Undine drückt ihren Frauenschwanz gegen seinen Sphinkter, und er spürt schmerzhaft, zugleich lustvoll, wie sie sich Zugang erzwingt, den Widerstand des engen Eingangs regelrecht beiseite schiebt. "Damit du mal siehst."

"Ich komme", sagt er. Während sein Samen auf das Laken spritzt, klingelt schon wieder das Telefon. "Verdammt!" schreit er. "Verdammt!"

Undine ist weg. Am Telefon ist wieder niemand. Immer wieder niemand.


12

*KITTY UNTERM KAFTAN.*


Bogdan weiß nicht, wie lange er geschlafen hat. Er hat jedenfalls nicht gemerkt, dass jemand alle Türen und Fenster geöffnet hat. Alle Türen und Fenster sind offen, wie in jener heißen, stickigen Nacht in jenem Haus am Mittelmeer, als Kitty kam."Sie kam nicht", hört er sich sagen. "Er hat sie mir gebracht."

Auch das stimmt nicht ganz und doch ein bisschen. Kitty ist mit ihrem Mann gekommen. Den Mann hatte Bogdan auf einem Flug kennengelernt. Er will die Frau nicht mehr, sagt er. "Zu lange zusammen. Kein Pep mehr drin. Willst du sie?" An diesem Abend will er sie ihm bringen.

"Du wirst Spaß an ihr haben. Sie wird dich verwöhnen, und sie wird dich nichts kosten. Ich sorge für ihren Unterhalt."

Der Mann ist reich. Bogdan ist gerade wieder einmal arm. Arm und allein. Bogdan ist in einer schwierigen Phase. Eine Frau hat ihn verlassen und hat seine Lust auf Tage und auf Nächte mitgenommen. Er findet, dass er ein Geschenk bekommt. Kitty ist rund und weich wie eine Katze. "Un chat", hat er gelesen, "c´est le plaisir du pauvre." Wo hat er das gelesen? Oder hat er es passend zu Kitty erfunden?

Kitty kommt an diesem Abend zu ihm. Der Mann schiebt sie vor sich her in sein Haus. Sie essen gemeinsam, Bogdan, Kitty und ihr Mann. Sie reden ein wenig, nicht viel. Der Mann hat mit Kitty alles abgemacht. "Sie wird tun, was du willst", sagt er zu Bogdan. Und zu Kitty: "Steh mal auf." Und wieder zu Bogdan mit einer Handbewegung: "Siehst du, dass sie schöne Beine hat? Willst du ihre Brüste sehen?" Der Mann macht Anstalten, Kitty die Bluse zu öffnen. Bogdan will nicht: "Lass!"

Kitty ist rund und weich wie eine Katze. Sie hat schwarze Haare und schwarze Mandelaugen. Ihr Mann hat eine Blonde gefunden, die dünn und drahtig ist. Die kleine Brüste hat, einen Apfelhintern und lange harte Schenkel. "Hast du nach einem Jungen gesucht?" fragt Bogdan. Der Mann lacht verlegen: "Denkst du, ich bin schwul? Kein Stück."

Später holt Kitty ihr Gepäck aus dem Auto. Sie stellt zwei Koffer wortlos in die Ecke bei der Tür. Bogdan schleppt eine Tasche und stellt sie ebenfalls dorthin. Der Mann bringt den Kosmetikkoffer.

Der Mann ist weg. Er hat gesagt: "Macht´s gut. Bis bald." Er hat Geld auf den Tisch gelegt. "Für´s Essen". Es ist so viel, dass es Monate reicht.

Kitty schaut Bogdan fragend an, schaut dann auf ihr Gepäck. Er geht ihr voraus die Treppe hoch, die in den oberen Teil des Hauses führt. "Da ist ein Zimmer leer", sagt er. "Du bist allein. Wenn du willst, kannst du mit mir essen. Reden. Trinken. Wenn du nicht willst, nicht." Er will auch allein sein. Oft allein sein. Er will nachdenken.

Manchmal essen sie miteinander. Sie schauen sich an. Sie gehen höflich miteinander um: "Möchtest du Brot?" Kitty kocht. Sie kocht chinesisch. Bogdan lernt, mit Stäbchen zu essen.

Bogdan beginnt, Kitty zu mögen. Er schämt sich ein bisschen, dass er das mitgemacht hat. Er freut sich ein bisschen, dass es so gekommen ist. Man bekommt nicht alle Tage eine Frau geschenkt. Geld dazu.

Kitty geht wie eine Katze durch das Haus. Sie geht fast immer nahe bei der Wand. Sie trägt Stoffschuhe mit Strohsohlen, manchmal läuft sie barfuß, dann verbindet sich die Kühle der Fliesen mit der Wärme ihrer Fußsohlen. Das hinterlässt eine Spur, als ob man an ein Fenster haucht. Er ertappt sich bei dem Gedanken, dass er mit dem Finger darauf ein Herz malen möchte.

Oben in dem Zimmer, in dem er aus Matratzen ein Lager für sie gemacht hat und aus Kisten und einer alten Tür einen Tisch und aus noch einer Kiste einen Stuhl, schreibt sie in ihrem Tagebuch. Manchmal lässt sie es offen liegen und lässt auch die Tür offen, wenn sie auf lange Spaziergänge geht. Bogdan denkt dann, er soll darin lesen. Er liest darin. Er liest Trauer und Wut.

Eines Nachts kommt Kitty wie eine Katze in sein Bett. Er wacht auf, weil die Wolldecke und das Laken sich ein wenig heben und es dann neben ihm atmet. Sein Bett ist groß, sie finden Platz darin, ohne einander zu berühren.

Erst nachdem sie beide wieder eingeschlafen sind, kriechen sie aufeinander zu. Der Schlaf schaltet ihr Bewusstsein aus, sein Schuldgefühl, ihr Schamgefühl. Der Schlaf bringt Bogdans Gesicht zwischen ihre weißen, großen Brüste. Der Schlaf schickt ihre Hand zwischen seine Schenkel, der Schlaf lässt seine Hand zu ihren Schenkeln gehen, lässt unter der Decke die duftenden Aromen wachsen, die sein Glied im Dunkeln den Weg finden lassen, den Weg von ganz allein. Danach kommt die Katze jeden Tag in sein Bett.

Langsam fängt sie an, sich wohlzufühlen und zu schnurren. Sie beginnt, Dinge zu sagen und Milch in seinen Tee zu gießen. Sie stellt Blumen auf den Tisch. Sie macht Konfekt aus Ingwer und kleinen bunten Zuckerperlen und stellt es neben das Bett. Sie schiebt ihm runde Stücke davon in den Mund, wenn er morgens aufwacht. Ihre Hand ist dann das erste, das er Morgens sieht, sie taucht vor seinem Gesicht auf, taucht auf mit langen perlmuttfarbenen Nägeln und wischt das Stück Konfekt so lange über seine Lippen, bis er der strengen Süße nicht mehr widerstehen kann. Dann öffnet er den Mund, und sie lässt das Konfekt ihn küssen.

Als es regnet in einer Nacht und der Wind Regentropfen gegen die Fenster trommelt, wird er wach. Die Katze schläft und weint im Traum. Bogdan nimmt sie in seine Arme, damit sie lange weinen kann.

Der Winter kommt, der Dezember und der Januar. Der Januar ist kalt am Mittelmeer, in den Bergen schneit es oft. Der Kamin wird nun jeden Tag gefüttert. Wenn er Eukalyptus frisst, knackt und duftet er. Bogdan sitzt davor in seinem schwarzen Kaftan, den er Abends gerne trägt. Die Katze kommt schwarz und leise von hinten in den großen Raum und rollt sich vor ihm auf dem alten weißen Ziegenfell zusammen. Er liest und streichelt ihren Kopf. Sie macht kleine Geräusche des Behagens, er fühlt, wie ihre Finger über seine Füße streichen, fühlt ihre Zunge zwischen seinen Zehen.

Die Katze weiß, dass er nichts unter dem Kaftan trägt, und wenn das Feuer flackert und es heiß wird am Kamin, wenn die große Flasche halb leer ist, wenn die Musik sie beide eingehüllt hat, lässt sie den Pelz von sich gleiten, in den sie sich jetzt immer hüllt. Dann schlüpft ihr glatter Körper, weich und rund und warm unter seinen Kaftan, sucht mit der Zunge seine Oberschenkel ab, schließt schließlich den Mund um sein wartendes Glied. Sie küsst es mit sanften Geräuschen, sie kratzt mit perlmuttfarbenen Nägeln an seinen Schenkeln entlang, und wenn er gekommen ist, ruht ihr Kopf an seinem Bauch, und ihr feuchter, weicher Mund bewahrt ein

Glied sanft in sich und streichelt es mit der Zunge. Später taucht ihr Kopf wieder unter dem Kaftan hervor, und sie starrt ihn mit großen Augen an. Sie küsst ihn und lässt ihn sich berauschen an diesem Cocktail aus ihrem Mund und seinem Sperma. Sie küsst ihn und kratzt über seinen Kaftan hinweg, das klingt wie reißende Seide, er meint, sie würde ihn zerfetzen. Es erregt ihn schon wieder, und dann schlägt sie seinen Kaftan zurück, und setzt sich rücklings auf seinen Schoß, und er dringt in sie ein. Sie kratzt nicht mehr, sie zieht die Krallen ein, sie lauscht nach innen und schnurrt bis ein Schrei daraus wird.

Bogdan braucht mehr Zeit als beim ersten Mal. Die Katze weiß es und gleitet aufs Fell zurück, sie dreht ihm weiche Backen zu. Im Flackern des Kaminfeuers sieht Bogdan ihr nasses Loch, die Wärme des Feuers fächelt Kittys Duft zu ihm hin. Er kniet sich hinter sie und steckt seine Zunge tief hinein. Er umfasst mit beiden Händen ihren Hintern wie einen riesigen Pokal und schlürft ihren Saft, bevor sie sich ineinander verknoten und später, nach Augenblicken oder Ewigkeiten, sich am Feuer neu begegnen.

Was von Bogdan aus ihr quillt, fängt sie mit den Händen auf und verreibt es in ihrem Gesicht.

"Was ist aus Kitty geworden", fragt Bogdan die dicke junge Frau, die vor seinem Bett steht. Er weiß nicht, wie sie dahingekommen ist. Er weiß nicht, wo sie hergekommen ist.

"Kenn´ keine Kitty", sagt die Dicke in schwerem Französisch. "Connais pas. Hier liegt eine Karte unter dem Bett." Sie bückt sich und hebt sie auf.

Bogdan wirft nur einen kurzen Blick darauf. "Die kenn´ ich", sagt er. "Sie ist von Daniel."

Die Dicke wirft die Karte trotzdem auf sein Bett.

## 13

*DER WEG DES FINGERS.*

"Mein Bester, wenn du Lust hast, komm im Dezember nach Antigua Ich bin den ganzen Monat da. Daniel."

"Antigua ist zum Kotzen!" sagt Bogdan zur Karte. Die elende Kantine fällt ihm ein. Das Essen, das nichts taugt und zu viel kostet. Die reichen Schweine mit ihren protzigen Zuhälter-Pötten, die die Segler, die kein Geld mehr haben, auf ihren Yachten schuften lassen. Rost abkratzen, streichen. Die ihnen die Mädchen wegficken. "Nicht mal duschen durften wir hinterher", sagt Sven, der Schwede, der dringend Geld für die Rückreise braucht. Ein Mastbruch hat ihn ruiniert.

Bogdan dreht die Postkarte um. Auf der Bildseite ist ein Foto von dem alten Fort, das für die Engländer die Bucht bewachte. Gegen die Franzosen. Gegen die Spanier. Alle Räuber gegen alle.

"Aber Jenny war doch in Ordnung, oder?" hört er Daniel aus der Karte fragen.

"Jenny?"

"Jenny, Mann. Die kleine Schwarze an der Kasse."

"Ja", sagt Bogdan. "Jenny war ok."

\*\*\*

Er steht an der Kasse in der Kantine und wartet, dass Jenny ihm den Teller Stew berechnet, das Stück Brot, den Pudding und den Tee. Das alles hat er auf dem Tablett. Tee, Stew und Pudding sind lauwarm. Das Brot ist pappig.

"Three Dollars", sagt Jenny. Sie schaut ihn dabei nicht an.

Sven, der Schwede steht hinter ihm. "Nun mach schon", sagt er. "Ich muss gleich wieder zu dem Arschloch zurück." Sven weiß alles. Sven kennt alle Inseln der Karibik. Er war schon vorher da. Lange

Zeit, bevor Bogdan zu segeln begann. Sven kennt alle Männer. Sven kennt alle Frauen. "Sie schauen niemals jemanden an. Wenn sie dich anschauen, ist es geschehen. Hier nehmen die Männer die Frauen mit den Augen. Die schwarzen Männer ficken mit den Augen."

"Three Dollars", sagt Jenny noch einmal. Ihre Augen blicken auf die Kasse.

Bogdan bewegt sich nicht. Er starrt auf ihre Brüste, die sich unter der bis oben zugeknöpften indischen Bluse und einem BH verstecken. Jetzt spürt er, dass sie zu atmen beginnt. Jetzt spürt er, dass sie spürt, dass da etwas nicht stimmt.

Jennys Augen fahren wie Fingerspitzen über die Tasten der Kasse hinweg. Sie machen sich davon los. Langsam klettern die Augen vom Tablett zu seiner Hand, in der er einen Fünf-Dollarschein hält. Und ihre Hand greift nach dem Schein. Und Bogdan hält ihn fest, er ruckt ihn wieder zurück aus ihren Fingern heraus.

Das Unerwartete lässt sie ihre Vorsicht vergessen. Sie schaut ihn an, und Bogdan starrt zurück. Er starrt zurück mit unverhüllter Gier aus Monaten erzwungener Enthaltsamkeit und nimmt sie mit seinem Blick gefangen. Er starrt und ergreift von ihr Besitz. Er starrt und durchdringt sie mit seinem Blick. Er beginnt zu lächeln. Er will ihr sagen, dass sie schön ist, dass er sich in sie verknallt hat, dass er sie will. Dass er Tag für Tag hier gesessen und gegessen und sie beobachtet hat. Dass er inzwischen jede ihrer Bewegungen kennt: Jenny, ich will dich.

Er kommt nicht dazu, etwas zu Jenny zu sagen. Jenny wird dunkelrot unter ihrer schwarzen Haut. Bogdan erschrickt fast, denn das hat er noch nie gesehen. Ihre Augen beginnen zu flackern. Sie versuchen sich loszureißen, sich aus seiner Umarmung zu entwinden. Sie schaffen es nicht, denn Bogdan hält sie fest, dringt immer tiefer in sie ein.

Jenny greift sich mit beiden Händen in die Haare. Jenny schreit und springt auf. Jenny flüchtet aus dem Kassenverschlag und rennt an ihm vorbei.

"Jenny", murmelt Bogdan verwirrt.

Jenny schreit. Sie schreit im Laufen. Sie läuft in die Tiefe der Kantine, vorbei an starrenden Seglern, vorbei an den Schwedinnen und Engländerinnen, mit den extraknappen Shorts und den Blusen, die nichts verbergen. Vorbei an den feisten reichen Kerlen, für die die Schwedinnen und Engländerinnen sich so angezogen haben. Jenny rennt an ihnen vorbei in die Tiefe der Kantine, dorthin, wo die Toiletten für die Segler sind. "Men" steht auf einer Tür. "Others" auf der anderen. Sie stößt mit dem ganzen Körper gegen die kleine Tür. Sie stolpert in den Raum hinein, in die Sicherheit des Frauenhauses.

"Wenn du die Augen hast, hast du das Weib", sagt Sven hinter ihm. Sven grinst. Sven schiebt den Daumen zwischen Zeige- und Mittelfinger und sagt: "You'll be fucking her tonight."

Bogdan schaut ihn verwirrt an. "Sie ist aber abgehauen." Er hält immer noch die Fünf-Dollarnote in der Hand. Er legt sie auf dem Kassentisch ab.

"Du hattest die Augen, jetzt hast du das Weib", sagt Sven noch einmal. Er stellt sein Tablett ab und nimmt sich eine Flasche Bier aus dem Kühlschrank mit der Glastür. Er kneift den Kronenkorken mit den Zähnen ab. "Fucks tonight." Er wirft einen Dollar auf den Kassentisch und spuckt den Kronenkorken über die Kasse hinweg in eine Kiste.

***

Sein Boot hat Bogdan nicht weit vom Landesteg geankert. Um acht ist es im April schon dunkel auf Antigua. An der Bootsleiter hört er leise Geräusche.

"I can swim", sagt Jenny. Sie hat ihre Bluse vom Nachmittag an und einen Rock. Den BH hat sie wer weiß wo gelassen. Ihre Brustwarzen stehen unter der Bluse wie zwei Strumpfbandknöpfe vor. Der Rock klebt an ihren Beinen. Er schiebt sie in die Kabine und berührt dabei mit der Hand ihren Hintern. "Mein Gott!" sagt er, als die Botschaft der Hand im Hirn ankommt.

Einen schönen Hintern braucht Bogdan nicht zu sehen. Ein schöner Hintern, den erkennt seine Hand im Dunkeln und blitzschnell. Jenny, das hat seine Hand erfühlt, Jenny hat diesen hochgewölbten Hintern, den manche der schwarzen Frauen hier haben. Nicht alle. Manche. "Wenn du so eine nimmst, mit so einem Arsch, dann denkst du, du hast ein halbes Dutzend Kissen drunter", hat Sven gesagt. Sven hat mal eine mitgenommen. Sie wollte weg von ihrer Insel. Es hat nicht geklappt. "Sie war die ganze Zeit seekrank. Sie hat nur gekotzt. Da macht der schönste Arsch keinen Spaß". Er hat sie zurückgebracht. "Sie ist mir dann nie wieder unter die Augen gekommen", hat er nachdenklich gesagt. "Plötzlich verschwinden sie. Sie verschwinden spurlos und tauchen nie wieder auf."

In der Kabine brennt eine Petroleumlampe. Jenny steht am Tisch und hält sich daran fest. "Setz dich doch", sagt Bogdan leise.

Sie will sich nicht setzen. "Ich bin ganz nass."

Er weiß nicht, was er sagen soll. Er schaut ihr in die Augen und Jenny schaut zurück. "Dann zieh doch alles aus", sagt er halb zum Spaß.

Sie beginnt sofort damit und ohne die Kette des Blicks zu brechen. Sie fummelt an ihrem Rock, hat Mühe mit dem Knopf und dem nassen Knopfloch. Schließlich gleitet der Rock zu Boden, bleibt an einem ihrer Knie kleben, sie streift ihn mit einer ungeduldigen Bewegung weg. Sie knöpft die Bluse auf und dreht sich jetzt um, damit er ihr hilft.

Bogdan macht einen Schritt nach vorn und zu ihr hin. Er pellt ihr die nasse Bluse vom Körper und fühlt, dass die Nässe auf Jennys Körper heiß ist. Er will ihren Kopf streicheln, die kurzen krausen Haare fühlen, aber sie nimmt seine Hand und führt sie von hinten zwischen ihre Schenkel. Sie dreht den Kopf zurück und schaut ihn an. Sie schaut ihn an, bis er sie mit seinem Körper auf die Koje

schiebt, bis er sie auf den Rücken dreht, bis er seine Jeans, die abge-
schnittenen, an den Knöcheln vorbei auf den Boden gestoßen hat, bis
er in sie eindringt. Dann seufzt sie und hört nicht auf zu seufzen, bis
sie zuckend kommt, bis er im selben Augenblick seine unendliche
Ladung von sieben Wochen Einsamkeit in diese von einem Arsch aus
hundert harten Kissen vorgereckte Höhle schießt.

Erst dann rauchen sie Marihuana. Bogdan merkt nicht, dass er davon einschläft, er denkt er träumt, dass er schläft und dass auch das
ein Traum ist. Als er aufwacht und merkt, dass er die ganze Zeit
wach war, während er schlief, hockt Jenny neben ihm, hockt neben
seinen Schenkeln und spricht in einer fremden Sprache. Sie streichelt
sein Glied, und als es sich schlaftrunken und marihuanaträge zu re-
keln beginnt, nimmt sie es in den Mund. Im fast erloschenen Licht
der Lampe sieht er, wie ihre vollen Lippen sich über die Eichel stül-
pen und spürt hinter den Lippen ihre Zähne um die Rille zwischen
Eichel und Schaft. Er spürt den leisen Schmerz, auch die vage, erre-
gende Furcht vor ihren Zähnen, und er sieht, wie sein Schwanz hart
wird. Er spürt das wie einen elektrischen Schlag, er spürt es wie eine heiße Sonde in seinem Innern, das zieht von hinten in ihm auf-
wärts und schüttelt ihn. Jenny schaut von unten zu ihm hoch, jetzt
lächelt sie zum ersten Mal. Ihr Lächeln entlässt seinen in Spucke ge-
badeten, glitzernden Schwanz, aber sie hält ihn mit beiden Händen
fest, wie einen Fisch, den du gefangen hast und den du nicht ent-
gleiten lassen willst.

"Ich will dich lecken", sagt Bogdan. "Komm, ich will dich lecken."

Aus dem Lächeln in Jennys Gesicht wird eine Frage. Sie hält ihm
ihr Gesicht hin, ihren Mund. Sie öffnet die Lippen und lässt ihre Zunge sehen.

"Nicht so", sagt Bogdan. Er richtet sich auf und macht ihr ein Zeichen. Sie legt sich lang hin. Sie winkelt die Beine ein wenig an. Sie
legt die Hände unter den Kopf. Sie schaut ihn immer noch fragend an.

Bogdan streichelt ihre Brüste. Bogdan streichelt mit einem Finger ihren Mund, dann küsst er sie. Jenny küsst ihn zögernd, später erfährt er von Sven, dass Zärtlichkeit auf Antigua verwirrt. "They dance, they smoke, they fuck, that's all", sagt Sven.

Bogdans Mund und Zunge kehren zu Jennys Brüsten zurück. Die Droge lässt ihn dort, so meint er, eine Ewigkeit verweilen, auch im salzigen Tal ihres Nabels. Er durchpflügt mit den Zähnen den endlosen Dschungel ihres Schamhaars, bohrt nach Jahren der Reise endlich seine Zunge in die nasse Schlucht ihrer Möse. Er bekommt dort zu schmecken und zu trinken, was seins war und was ihres ist, er schmeckt den Planters Punsch ihrer Säfte, er ist durstig danach, die Reise war so lang. Er zieht mit den Fingern ihre Lippen auseinander, versucht mit der Zunge weiter und weiter zu kommen. Seine Zunge wird länger und länger, sie erreicht alle Wände und Zimmer in Jennys Haus.

Jetzt spürt er, dass Jenny beginnt, mit ihrem Hintern einen Tanz zu tanzen in langsamen, in kleinen Bewegungen. Er hört ihren Atem, der den Tanz begleitet, und das klingt wie ein Gesang, und wie der Wind auf dem Meer in manchen Nächten, in denen er allein in der Koje gelegen hat, mit den Händen an seinem Glied und mit den Gedanken bei einer wie dieser.

Er spürt, dass Jennys Tanz jetzt schneller wird, er spürt den Druck ihrer Schenkel an seinen Wangen, unerbittlich hält sie ihn jetzt fest in einem Schraubstock der Lust.

Der Druck ihrer Schenkel wird schwächer, seine Zunge will Jenny verlassen. Jennys Hände sind sofort da, sie packen seinen Kopf, krallen sich in seine Haare, schieben ihn zurück, zwingen seine Zunge zurück in die dampfende Dunkelheit.

"More", sagt Jenny. "Please more, more, more!"

***

Am nächsten Abend ist Jenny wieder da. Er sieht aus seiner Koje heraus ihren Kopf mit dem kurzen krausen Haar über der Bordwand auftauchen. Er hat fast geschlafen, fast oder ganz, er war müde nach der vergangenen Nacht, er kennt das, das ist bei ihm die Wirkung des Marihuana. Die Zunge tut ihm weh, auch das kennt er: Es ist wie ein Muskelkater.

"Jenny", sagt er leise, und er wundert sich über die Zärtlichkeit in seiner Stimme. Er seufzt.

Jennys Augen, Jennys Zähne blitzen ihm ein Lächeln zu. Sie umarmt ihn, nass wie sie ist, wieder spürt er die Hitze ihrer Haut durch die Bluse und den Rock hindurch. "I came, so you lick me more", murmelt sie in sein Ohr mit ihrer Stimme, die wie Reggae klingt. Auch, dass ihr Bruder sie gesehen hat, verrät sie. "I come home, he see me."

"Hast du Angst vor deinem Bruder? Darf er das nicht wissen?"

Jenny schweigt. Sie führt seine Hände zu den Knöpfen ihrer Bluse. Sie wartet geduldig mit gesenktem Kopf, bis er das Kunststück fertig gebracht hat, drei Knöpfe durch die nasse, dünne Baumwolle zu fummeln. Dann muss er noch den Rock aufmachen, da sind heute zwei Haken zu überwinden, und mit dem Rock, der fällt, führt sie seinen Kopf nach unten. "I want more."

Er gräbt seinen Kopf zwischen ihre Schenkel. "I smell nice", flüstert Jenny über ihm. Sie hat, das erzählt sie später, als sie ihm viel und alles erzählt, sie hat ein Räucherstäbchen angezündet und sich davor gesetzt. Sie hat den duftenden Rauch eingefangen. Bogdan atmet erst, dann saugt er den Geruch der schwarzen Blume ein, die heute nach Sandelholz duftet und nach den starken Säften, die er jetzt mit der Zunge von innen her nach vorne treibt.

Er schiebt sie mit dem Kopf zur Koje hin, und als sie dann richtig liegen, hat sie seinen Schwanz im Mund und begleitet mit kleinen Seufzern die leise, schlürfende Melodie.

Am Beben ihrer Schenkel spürt er, dass sie kommt. Am Pressen ihrer Schenkel erlebt er ihren Orgasmus mit. Aus ihrer Tiefen kommen jetzt die Geräusche, die die Konvulsionen in ihr auslösen, aus ihrer Tiefe kommt plötzlich ein Schwall, er hat den Punkt getroffen, der Frauen fließen lässt wie Männer. Das ist ihm bisher im Leben nur einmal passiert. Die Frau hat auf ihm gesessen. Sie hat es über ihn ausgeschüttet wie aus einer Kanne. Welche Frau? Adele?- Er weiß es nicht. Er will es nicht wissen. Später.

Sein Kopf badet in Jennys Säften, die jetzt dünn sind und fader schmecken. Sein Schwanz stößt in ihren Mund, in ihre Seufzer hinein. Seine Zähne harken durch ihr hartes kurzes Vlies, er küsst ihre dicken, zuckenden Lippen, die Lippen ihrer Möse. Sein Saft schießt tief in Jennys Mund hinein, er hört sie schlucken.

Sie rauchen. Sie trinken. Jenny nippt nur an ihrem Glas, sie mag den Rum der Insel nicht, sie raucht.

Später, als die Droge das große Lächeln und das große Schweigen über sie gebracht hat, liegen sie nebeneinander. Er streichelt ihren Unterarm, er streichelt ihn lange über Sonnenuntergänge und Sonnenaufgänge hinweg, über den Vollmond und den Neumond, über die Glocken, die ein neues Jahr einläuten und dann noch eins. Am Ende wächst ihr Unterarm zu einem mächtigen Glied, er hört sich sagen: "Komm!" und er umfasst das Glied mit beiden Händen, lässt die Hände auf und ab an ihm gleiten. Das Riesenglied beginnt zu zucken. Es versprüht ein Feuerwerk in Grünrotblau, es bläst seine Fontäne wie ein Wal, es dröhnt wie ein goldener Gong.

Neben ihm lacht Jenny leise. Er öffnet die Augen und sieht, dass sie ihre Hand zwischen den Schenkeln hat. Sie nimmt einen glitzernden Finger heraus und steckt ihn zwischen seine Lippen. Er leckt den Finger ab. Dann reibt er über seine Eichel und hält ihr die Handfläche unter die Nase. Sie atmet tief ein. Sie greift nach seiner Hand und führt sie an ihren Hüften entlang zu ihrem Hintern: "Touch."

Die Rille zwischen ihren Backen ist feucht. Sein Finger gleitet über die salzige Nässe bis er auf die harte Knospe trifft. Er verharrt dort streichelnd. Jenny ist ganz still. Jenny hält den Atem an.

Er steckt den Finger in den Mund, macht ihn mit Spucke nass und kehrt zurück in Jennys Dunkelheit. Jennys Seufzer begleiten den Weg des Fingers. Er drückt ihn behutsam tiefer und tiefer hinein, er überwindet den Muskelkranz. Er spürt wie Jenny starr wird, er spürt, wie sie zu zucken beginnt, am Ende greift sie nach seiner Hand, hält sie fest und sitzt nun wirklich auf seinem Finger und liegt plötzlich in der Koje und weint.

"Jenny", sagt er beunruhigt. Er streichelt ihr Haar und ihre Wangen. Er tastet mit den Fingerspitzen zärtlich über ihre Lippen. Er beugt sich zu ihr herab und küsst sie dort, wo die Tränen sind. Jenny schlingt einen Arm um ihn und flüstert in sein Ohr. Jenny flüstert von ihrem Leben und von ihrem Tod, und im Morgengrauen schlafen sie ein.

Bogdan wacht auf. Es ist Tag. Jenny ist fort. Er schaut auf die Uhr und wartet auf den Abend. Am Abend schaut er auf die Uhr und wartet auf die Nacht. Und Nächte später, viele Nächte später, setzt er Segel und verlässt den Hafen.

"Manchmal verschwinden sie", hat Sven gesagt. "Sie verschwinden spurlos  und tauchen nie wieder auf."


14

*HÄSCHEN.*


"Du bist ja immer noch da, verdammt noch mal", sagt Bogdan. "Gib mir Papier." Die Dicke neben seinen Bett tut, als ob sie ihn nicht hört. Sie wendet ihm den Rücken zu und beugt sich aus dem Fenster. Bogdan sieht, dass sie keine Schlüpfer anhat, nicht mehr die gelben angerauhten Hosen mit dem Gummizug in den Beinen trägt, die er sonst bei ihr gesehen hat. Die hat er gesehen, als er ihr die Leiter halten musste. Da war sie noch viel schlanker als jetzt. Wann war das? Als er im Hotel gearbeitet hat als Lehrling und der lachenden Polin die Leiter zum Fensterputzen halten musste? Die ihm das nasse Fensterleder auf sein hochgerecktes rotes Gesicht fallen ließ? Und vor der er wütend weglief, und sie erst wieder anschaute, als sie am Abend in sein Zimmer kam und ihn hinschauen ließ und er auch anfassen durfte. "Kleiner Jungä", hat sie zu ihm gesagt und seine Hand genommen, damit er ihre Schenkel und ihre braunen Haare ertasten konnte. Mein Gott, das war, als er das erste Mal unter dem Tasten und Fühlen seiner Finger fast die Besinnung verlor und alles summte und rote Kreise in seinem Kopf sich drehten."Kleiner Jungä" hat sie gesagt und gelacht, als sein Finger zurückzuckte wie unter einem elektrischen Schlag, zurückzuckte, wie die nasse Nase einer Kuh, wenn sie den elektrisch geladenen Draht berührt. Zurückzuckte als sie ihn ihre feuchte klebrige Wärme spüren ließ. Und "Kleiner Jungä. Gäht nicht", als er dann nicht mehr ablassen wollte.

"Damals war sie schlanker", sagt Bogdan verdrießlich und runzelt die Stirn, während er zum Fenster schaut. Er nimmt wahr, dass zwischen ihren Schenkeln ihre Vulva quillt und dick ist wie eine Papaya. "Erst muss ich schreiben", sagt er laut. "Erst muss ich die Geschichte schreiben."

Die Vulva zuckt, als ob es ihr ganz gleich sei. "Dann schreib doch", sagt sie. Sie wendet sich von ihm ab und furzt. Das Telefon klingelt. Es klingt wie eine Sirene. Es zerreißt ihm fast das Trommelfell. "Stell es ab, verdammt noch mal!"

"Ich denke nicht dran", sagt die Vulva. Sie öffnet das Maul und lacht mit fetten lila Lippen.

Anstand. Er hätte es der Telefonistin nicht sagen dürfen: "Ihre Stimme klingt, als ob wir beide im Bett wären. Bei mir im Bett." Er hat sie am anderen Ende tief durchatmen hören. Ihr Atmen machte einen Ton, als ob sie "Schwein!" sagte. "Sie haben keinen Anstand", sagte sie förmlich. "Ich verbinde."

Anstand. Die heißen Sommernachmittage im Büro machen ihm das Leben schwer. Er hat die Tür zum Gang aufgelassen, und er sieht die Mädchen vorbeigehen. Sie tragen tiefe Ausschnitte, und manchmal sind da feuchte Flecken auf dem T-Shirt zwischen ihren Brüsten. Feuchte Flecken... Er sollte lieber die Tür zumachen. Er steht auf und geht zur Tür. Er schließt sie. Er zögert. Er öffnet sie wieder.

Anstand. Warum tragen sie diese kurzen Röcke, Röcke, die so kurz sind, dass er ihnen, wenn sie auf den Hockern an der Bistro Bar in der Kantine sitzen, direkt zwischen die Schenkel schauen kann? Warum setzen sie sich so, warum setzen sie sich so in Position, dass ihm gar nichts anderes mehr übrig bleibt, als hinzuschauen? Und warum reiben sie die Schenkel aneinander, wenn sie sehen, dass sie seinen Blick eingefangen haben, als ob sie sich die Hände reiben im Triumph?

Anstand. "Da fällt mir noch was ein", sagt Bogdan. Er lacht. "Willst du es hören?"

Die Vulva kräuselt die Lippen. "Meinetwegen", sagt sie. "Meinetwegen".

"Du musst ja nicht", sagt Bogdan beleidigt. "Verpiss dich, wenn du es nicht hören willst. Vor allem, wenn du das noch mal machst, schmeiß ich dich raus."

"Was?"

"Du weißt schon."

Die Vulva lacht. "Soll ich noch mal...?"

Er wirft den Kugelschreiber nach ihr. Er trifft sie und sie schreit.

"Gut", sagt er. "Und jetzt gib Ruhe."

Der Sommerspaziergang im letzten Jahr. Als sie am Hochsitz der Jäger vorbeikommen, will Gitte hinauf. Der Hochsitz gibt vom Waldrand her den Blick auf eine Lichtung frei. Die Lichtung ist leer, kein Reh, obwohl es schon dämmert. Es dämmert und ist dennoch heiß wie der Tag, der hinter ihnen liegt. "Lass uns raufklettern", sagt sie leise. Und: "Geh du zuerst."

Auf dem Anstand waren schon vor ihnen Leute gewesen. Jemand hat ein paar zerbeulte Cola-Dosen dagelassen. "Was hier wohl los war?" hört er sie fragend sagen, und er weiß, dass ihre Phantasie jetzt auf die Reise geht. Sie wendet den Kopf nach links und nach rechts, sie atmet die Luft ein, sie wittert vergangenes Geschehen. Sie zeigt mit dem Kinn auf ein eingeschnitztes Herz auf einem Brett. Sie geht näher und schiebt mit dem Fuß ein Kondom durch einen Spalt im Boden. "Was hier wohl schon los war?"

Sie sitzen oben auf dem Anstand auf einer grob zusammengenagelten Bank aus ungehobeltem Holz. Gitte hat sich da hingesetzt, wo neben den leeren Cola-Dosen ein paar Papiertücher liegen. "Was die wohl hier gemacht haben?" fragt sie. Sie fragt es mehr sich selbst. Sie erwartet keine Antwort. Sie gibt sich die Antworten selbst. Sie reist durch die Zeit und erlebt mit, was hier war. "Komm, hock dich auch hin."

Er setzt sich zu ihr. Sie nimmt seine Hand und legt sie in ihren Schoß. "Schön ist das hier", flüstert sie. "Romantisch." Beide flüstern, wenn sie reden. Sind sie Jäger geworden, seit sie hier sitzen?

Gitte spielt mit der Schuhspitze an etwas Glänzendem. "Was ist das?"

Er beugt sich vor und lässt dabei seine Hand über ihr Bein streichen, bis sie den Schuh erreicht. Er nimmt das glänzende Ding zwischen zwei Finger. "Eine Patronenhülse", flüstert er. "Sie schießen hier."

"Gib mir", sagt sie. "Zur Erinnerung." Sie nimmt ihm die Hülse aus den Fingern. Sie schnuppert daran. "Pulver", flüstert Gitte. "Das riecht nach verbranntem Pulver." Erregt sie der Geruch?

Gegenüber der Lichtung bewegt sich etwas. Es bewegt sich etwas am Waldrand. Gitte hat es zuerst bemerkt und zeigt hinüber. "Da", flüstert sie. Sie stehen beide lautlos auf. Gitte macht gebückt einen Schritt nach vorn. Sie versteckt sich hinter der Brüstung des Hochstands. Er tritt hinter sie. "Ein Häschen", hört er sie lautlos hauchen. Sie drückt sich halb gebückt gegen ihn. Ihre Wärme dringt an seinen Bauch.

Es ist kein Häschen. Es ist ein Paar. Der Mann trägt seine Jacke über dem Arm, mit der freien Hand zieht er ein Mädchen hinter sich her auf die Lichtung. Der Mann ist jung, ein Junge eher noch. Das Mädchen ist noch jünger. Sechzehn? Siebzehn? Ihre Stimme klingt wie die eines Kindes. Ängstlich auch. "Wenn uns hier aber jemand sieht!" Ihre Stimme trägt zu ihnen herauf, als ob die beiden in der Mitte eines Amphitheaters stünden, als ob die Lichtung für Aufführungen aller Art gemacht worden sei. Als ob der Hochsitz die Zuschauerloge wäre. "Aber wenn uns hier jemand sieht?!"

Der Junge lacht. Das soll beruhigend klingen. Aber sie spüren, dass sich hinter der gespielten Ruhe Aufregung versteckt. "Hier ist niemand", sagt er. "Hier ist nie jemand. Nie." Er klingt, als ob er einen Kloß im Hals hat. Er bückt sich, ohne die Hand des Mädchens los zu lassen. Damit sie ihm nicht wegläuft. Sicherheitshalber. Er bückt sich und legt die Jacke auf den Boden. Er breitet sie im Gras der Lichtung aus. "Hier", sagt er. "Setz dich."

Das Mädchen legt sich die freie Hand über die Brüste. "Wirklich keiner?" Sie trägt Kleidung nach Art des Landes - ein Dirndlkleid mit einer Schürze davor. Sie trägt eine weiße Bluse, unter der sich pummelige Brüste verbergen. Bogdan muss an Rotkäppchen denken, aber der dort, der ist bestimmt nicht der Wolf.

"Rotkäppchen", haucht er Gitte ins Ohr. Sie nickt. Ihre Nackenhaare kitzeln seine Wangen.

"Setz dich", sagt der Junge noch einmal. Das Mädchen setzt sich nicht. Es schaut, von seiner Hand festgehalten, auf ihn herab. "Lieber nicht."

"Doch", sagt der Junge. Er zieht an ihrer Hand, und sie fällt fast auf die Jacke. "Aua!" klagt das Mädchen.

Sie kniet mit zusammengepressten Knien. "Franzi", sagt der Junge. Und vor Verlegenheit sagt er: "Schön hier, nicht?"

Das Mädchen schaut sich um. Die Schönheit scheint sie nicht zu interessieren. Was sie interessiert, ist, was jetzt kommen soll. "Ja", sagt sie ohne Überzeugung.

"Nun setz dich doch richtig hin", sagt der Junge. Er lässt ihre Hand los und legt stattdessen einen Arm um sie. "Du kannst dich gegen mich lehnen." Er versucht ihr zu zeigen, wie.

Sie lässt es mit sich geschehen. Sie hockt unbequem auf den Knien neben ihm, lässt jetzt aber ihre Backen auf die Waden herab. "Wenn uns hier der Voater sieht", sagt sie, in dem Versuch, doch noch einen Zauberspruch zu finden, der das Unheil aus der Welt schafft, in das sie da hineingeraten ist.

Der Junge lacht. Er dreht das Gesicht des Mädchens zu sich hin. Er versucht sie zu küssen. Sie strampelt und zappelt. Er sagt: "Komm schon! Hab dich doch nicht so!"

Gitte rutscht an Bogdan vorbei und lässt ihn allein vorn am Hochstand. Er merkt es kaum, dass sie ihn verlässt, denn jetzt hat der Junge seine freie Hand zwischen die Knie des Mädchens gehebelt. Er sucht Zugang, während er sie küsst und ihre Aufmerksamkeit so ablenkt. Er hört sich laut atmen, als er sieht, wie die Knie des Mädchens auseinandergehen und die Hand des Jungen unter ihrem Rock verschwindet.

"Schieß das Häschen", hört er ein Flüstern hinter sich. Und gleich noch einmal, fast unhörbar. "Schieß das Häschen!"

Er dreht sich um. Er lässt die Hand des Jungen allein weiterreisen auf ihrem Weg in die feuchte, ängstlich zugesperrte zuckende Lust, die dort am Ende wartet. Er schaut sich um.

Gitte steht zwischen den Cola-Dosen. Sie hat den Rock vorn hochgehoben, sie hält ihn mit beiden Händen. Sie steht ein wenig linkisch da, wie eine Darstellerin in einem Bauerntheater, bewusst macht sie das, denkt er, das macht sie bewusst. Ihr Kopf liegt ein wenig zur Seite, ihre Fußspitzen zeigen nach innen. Zwischen ihren Schuhen hängt ihr Slip, rot wie Himbeerbonbons und grün wie künstliches Gras, die Farben findet er grausam, hat er ihr gesagt. Und sie hat gelacht und geantwortet: "Ja!"

Sie macht eine kleine Bewegung aus der Hüfte. Sie will ihm damit zeigen, wo das Häschen ist. "Schieß es!" haucht sie noch einmal. Es ist ein Befehl wie aus dem Kasten der Souffleuse: Dein Auftritt! Spiel mit!

Er macht einen Schritt auf sie zu. Sie lässt den Rock los, er fällt über ihre Knie. "Und wenn nun oaner kommt?" flüstert sie in gespielter Angst. "Der Voater?"

Er spielt mit. "Hierher kommt koaner", flüstert er beruhigend. Er sucht ihr Ohr und flüstert: "Hier merkt koaner, wenn man oan Haserl schießt."

Er hört sie heftiger atmen. Er spürt, wie die Schenkel unter dem Rock ein wenig auseinandergehen. "Wirklich nicht?"

"Wirklich nicht." Er tritt einen halben Schritt zurück. Er beginnt, seine Jeans aufzuknöpfen. "Was macht du da?" hört er sie flüstern. Entsetzen in der Stimme, gespielte Panik. "Dös darfst net!." Sie klemmt ihre Schenkel übereinander. Sie legt beide Hände über die Brüste.

Sie sieht, was jetzt aus den Jeans herausdrängt. Ihre Augen weiten sich. Dann verliert sie für einen Augenblick den Regiefaden und bringt auch das Märchen durcheinander. "Aber Großmutter, was hast Du für eine entsetzlich große Flinte", hört er sie hauchen.

Beide lachen lautlos. Beide lachen lange.

Sie hält die Schenkel fest zusammengepresst, als er in sie eindringen will. "Ich bin doch nur oan oarmes Bauermadl", hört er sie flüstern, jetzt wieder ganz im Stück. Sie ist das arme Kind.

Der Klang ihrer Stimme zuckt wie eine süße Peitsche über seinen Körper. Er schiebt seine beiden Hände zwischen ihre Schenkel, er schafft einen Spalt zwischen dem warmen, duftenden, widerstrebenden Fleisch, einen Spalt, durch den er, seinen Händen folgend, in sie eindringt. "Heb den Rock hoch, und halt ihn fest!" hört er sich befehlen.

Gitte folgt. "Ja", flüstert sie. Noch einmal spielt sie das Bauernkind, als sie sagt: "Und wenn uns nun der Voater..." Dann beginnt sie sanft zu seufzen und mit weichen, schiebenden Bewegungen den

Rhythmus zu bestimmen.

Er schaut durch die Dämmerung in ihr Gesicht. Er wartet auf das erste, noch ferne Blitzen, das auch ihn zum Höhepunkt treiben wird. Sie spürt, dass er sie beobachtet. Für einen Augenblick hat sie die Augen geöffnet, hat seine Lust und seine Gier gesehen. Sie dreht ihre Augen nach oben, er sieht fast nur noch das Weiße, dann schließt sie sie wieder. Sie lässt ihren Kopf zurückfallen, und dann hört er sie flüstern und versteht sie kaum noch: "Schieß! Schieß schon! Jetzt!"

Sie haben es noch nie so leise gemacht. Kein Schrei kommt von Gitte, kein Stöhnen. Nur ein Zucken fordert in der Tiefe ihres Bauches: "Schieß das Häschen tot!"

Er hat sein Glied noch nie so begriffen, nie hat er es als Waffe begriffen, aber er weiß jetzt, dass Gitte anders denkt, die kleine Spielzeugpistole fällt ihm ein, die sie damals auf dem Kinderspielplatz gefunden haben, und eines Morgens lag sie auf dem Nachttisch, und sie sagte: "Die kann sogar spritzen." Und sie zeigte ihm wie.

In diesem Spiel ist sie die Jägerin, das Häschen jagt den Jäger, er weiß, was sie jetzt von ihm fordert: In ihrem Spiel muss sein Glied jetzt die Waffe sein, ein harter, blauschimmernder Lauf, der tief in ihrem Bauch.... Er hört, wie sie flüstert: "Drück ab!"

Er vergräbt ein Stöhnen in ihrer Schulter. Er spürt das Brennen seiner Lippen, die Hitze seines Mundes. Er spürt die heiße Flut, die sich vermischt. Er spürt, dass sie gleich darauf schlaff in seinen Armen wird.

Nach einer langen Weile, in der sie regungslos miteinander, ineinander dort stehen, lacht sie leise. Über ihr Gesicht geht ein Strahlen. "Jetzt ist das arme Häschen tot." Dann ist sie noch einmal das Bauernmädchen, ein letztes Mal, hofft er, denn das Stück ist zu Ende und der Beifall verrauscht. Sie lamentiert flüsternd:

"Wenn uns nur der Voater net gesehen hat."

Es ist dunkel geworden. Als sie wieder an das vordere Geländer des Hochsitzes treten, ahnen sie mehr als sie sehen. Der Widerstand da drüben ist gebrochen. Das Mädchen ist mäuschenstill, sie bewegt sich nicht. Undeutlich sehen sie die wütenden Angriffe des Jungen, deutlich hören sie sein Schnaufen, es wird lauter, das Mädchen bleibt still. Dann wird für eine Weile alles ruhig. "Pack´ mers?" fragt der Junge. Das Mädchen sagt nichts. Sie hören wie die Jacke ausgeschlagen wird. Sie hören Schritte, sie hören das Knacken von Zweigen im Wald. "Möcht´s a bisserl Schokolade"? fragt der Junge.

Gitte schaut ihn forschend an. "Schade?" fragt ihr Blick. Sie ahnt, was er denkt. "Hättest du das gern gemacht?"

"Schade", sagt er neidisch. Er weiß, dass sie weiß, wie gern er an Stelle des Jungen gewesen wäre.

"Du hattest sie doch auch", sagt sie zärtlich. Ihr Slip liegt neben den Cola-Dosen, sie will in als Andenken dort lassen. "Dir gefällt er ja eh nicht." Sie lacht. "Der Jäger wird sich freuen." Sie hebt ihn auf, sie schnuppert an ihm, sie lässt ihn fallen.

Sie lässt ihn zuerst die Leiter heruntersteigen und steigt dann so schnell hinter ihm her und so geschickt, dass ihr Rock über seinen Kopf fällt. Er küsst mit der Zunge die kleine rote Nase. Das Häschen zuckt. Es lebt!

"Das ist doch wieder nur eine von deinen Geschichten", sagt die Vulva. "Kannst du nicht mal was schreiben, was nicht von dir ist?"

"Mir hat sie gefallen", sagt eine andere Stimme. Die Dicke ist auch noch da. Sie hat sich von der Vulva getrennt, aber sie ist noch da. Aus eins mach zwei.

Sie ist noch dicker geworden. Er schaut genauer hin und ihm wird plötzlich klar, dass sie wächst und langsam immer dicker wird. "Mein Gott", denkt Bogdan, "wenn sie so weiter macht, nimmt sie das ganze Zimmer ein.

"Na, wenigstens eine, der meine Geschichten gefallen ", sagt er. Er ist halb versöhnt. "Aber deine..." will er trotzdem sagen.

"Kümmer dich nicht um sie", sagt die Dicke. "Sie ist nur eine dumme, dicke Möse." Sie lacht. Sie bläht sich weiter auf, während sie lacht. Sie wächst mit jedem Atemzug. Wie ein Ballon, in den Luft geblasen wird. Sie hebt den Rock hoch. "Guck mal", sagt sie. "Keine Möse." Unter dem Rock trägt sie ein Paar Jeans. Bogdan kennt die Jeans. Er hat sie als Reklame in einem Geschäft gesehen. Es sind enorme Jeans. Sieben Schneider, sagt die Reklame, haben genäht. Ein paar Dutzend Meter Jeansstoff sind dafür verbraucht worden. Tausende Meter Garn sind für die Nähte draufgegangen. Die Nieten mussten speziell dafür angefertigt worden. Für den Gürtel hatten drei Schweine dran glauben müssen. "So was von dick habe ich noch nicht gesehen", sagt Bogdan. Er macht ein Geräusch, als ob er sich übergeben müsste. Sie kriegt diese riesigen Jeans nicht mal zu, denkt er. Der oberste Knopf ist auf und zeigt ihre fetten Wülste, verrät den wabernden Bauch. Der Reißverschluss ist nur zur Hälfte hochgeratscht. "Du platzt aus den Nähten", sagt Bogdan. "Du siehst zum Kotzen aus. Du ekelst mich an."

Die Dicke kommt auf sein Bett zu. Sie ist größer als sein Bett. "Nein!" sagt Bogdan. "Lieber nicht!" Er versucht sie wegzuschieben. Es gelingt ihm nicht. Er schlägt nach ihr. Sie lacht.

Die Dicke setzt sich auf den Rand des Bettes. Das Bett kracht. Sie hebt die Decke hoch. "Du bist scharf auf mich", sagt sie und greift nach ihm.

"Nein!" sagt Bogdan. Sie hört nicht auf ihn. Sein Fußtritt trifft sie nicht. Sie legt sich zu ihm ins Bett. Sie bewegt sich und dehnt sich, und er hört die Nähte der Jeans krachen. Eine Niete trifft seine Stirn. Es tut weh. Sie wälzt sich auf ihn herauf. "Hilfe!" will Bogdan schreien. "Hilfe!" Es kommt kein Ton aus ihm heraus.

## 15

### ADELES TURNERINNEN.

"Schmeiß sie raus", sagt jemand vom Fenster her. Bogdan erkennt die Stimme. "Adele", sagt er dankbar.

"Schmeiß sie raus", sagt Adele noch einmal. "Ich habe Freistunde." Er schaut zum Fenster hinüber. Adele sitzt dort, halb ist sie noch draußen. Sie hat ein Bein hinübergeschwenkt. Sie sitzt rittlings auf dem Fensterbrett. Sie trägt einen Jogging-Anzug, ein Schweißband hält die Haare von der Stirn zurück. "Gerade habe ich die Lauf-Gruppe gemacht", sagt Adele. Adele trainiert die Mädchen in einem Turnverein.

Sie nimmt das Band ab. Sie schüttelt ihr helles Haar frei. "Wenn du sie nicht rausschmeißt, schmeiß ich sie raus", sagt Adele. Sie springt vom Fenster ins Zimmer hinein. "Verpiss dich", sagt sie zu der Dicken. "Hau ab!"

Die Dicke ist weg. Kaum hat Adele gesagt, "Hau ab!" da ist sie auch schon weg. Sie ist verschwunden, als ob es sie nie gegeben hätte. Auch die Vulva ist verschwunden. Nur ihr Geruch hängt noch im Zimmer: Anchovis und Pilze. Und nur die Niete spürt Bogdan noch, die Messingniete, die ihm weh getan hat. "Danke", sagt er. "Sie hat mich fast erstickt."

Adele kommt zum Bett. "Mach Platz", sagt sie. Vor seinen Augen und so, dass er sie mit den Händen greifen kann, streift sie die Jogginghose ab, zugleich mit dem Slip. Sie zieht das Sweatshirt über den Kopf, und er nutzt den Moment ihrer Blindheit, um über ihre Schenkel zu streichen. Über die Schenkel und über den Busch.

Er hebt die Decke hoch. "Komm", sagt er. "Komm schnell."

"Nur noch das Hemdchen", sagt Adele. Dann kommt sie zu ihm ins Bett.

Sie küssen sich. Sie küssen sich, als ob sie voneinander trinken wollen. Keine Frau küsst wie Adele, keine. Sie küssen sich, bis sie keine Luft mehr bekommen. Dann gehen ihre Lippen für einen Augenblick auseinander. "Keiner küsst wie du", flüstert Adele. Dann stürzen ihre Lippen wieder aufeinander zu.

Bogdan streichelt Adeles Brüste. Adele hat volle Brüste, Adele hat runde Hüften, Adele hat... "Hey", sagt Adele. "Bist du verrückt?!." Sie nimmt die Lippen von seinen Lippen. "Was machst du da?!" Er hat den Daumen und den Zeigefinger in sie hineingeschoben. Er fühlt mit Daumen und Zeigefinger die dünne Wand, die zwischen den Öffnungen liegt Die Wand ist wie dickes weiches Latex.

Ohne die Finger herauszunehmen rutscht Bogdan langsam mit dem Kopf ihren Bauch hinab. Seine Zunge kriecht wie eine Schnecke über Adeles Bauch und hinterlässt eine nasse Spur. Seine Zunge sticht in ihren Nabel, seine Zunge begegnet ihrem hellen Haar.

Mit Daumen und Zeigefinger zugleich drückt er nach oben, seine Zunge sucht den elektrischen Punkt und findet ihn. "Bist du verrückt?" murmelt Adele.

Bogdan umschließt Adeles Punkt mit seinem Mund. Er saugt ihn tief in sich hinein. Er hat ihren Kitzler tief im Mund. Adele kommt. Adele kommt, wie nur Adele kommt. Sie explodiert in Schreien aus ihrem Mund, in gurgelnden Eruptionen aus ihrer Möse.

Adele kommt und Adele kommt noch einmal und noch einmal. Dann keucht sie: "Hör auf! Um Gotteswillen, hör auf."

Bogdan hebt den Kopf aus ihren Schenkeln heraus. Sein Gesicht ist nass. Sein Mund ist nass von Adeles Säften. Er wischt sich am Laken trocken. Er rutscht zu ihr nach oben zurück. "Wie war es heute mit den Mädchen?" fragt er leise in Adeles Ohr.

"Hör zu", sagt Adele. Ihr Atem geht schon wieder ruhiger. "Hör zu", sagt sie und nimmt sein Glied in die Hand: "Ich war vorhin im Umkleideraum. Bei den Mädchen. Sie zogen sich um. Ein paar hatten noch nicht geduscht. Es roch nach schwitzenden kleinen Mädchen."

Adeles Mädchen sind siebzehn und achtzehn. "Es riecht nach kleinen Mädchen" sagt Bogdan. Er wiederholt ihre Worte. Er ist im Umkleideraum. Er hört die Mädchen kichern. Er hört, was sie reden. Sein Glied zuckt mit jedem Wort. Er weiß, dass Adele ihm ein Märchen erzählt. Es tut nichts. Er will ein Märchen hören. Niemand erzählt die Märchen von den Mädchen schöner als Adele. "Weiter", sagt er atemlos.

Adele streichelt sein Glied. "Es ist schön", sagt Adele. "Ich spiele so gern damit." Ihre Hand geht langsam auf und ab. Er spürt, wie seine Vorhaut in die Rille hinter der Eichel gerät. Er spürt einen ihrer Finger auf dem empfindlichen Fleisch. Adeles Mund ist ganz dicht bei seinem Ohr. "Wenn sie sich bücken", sagt Adele, "wenn sie sich bücken, dann kann man manchmal ihre kleinen Muschis sehen."

"Bei der Gymnastik", sagt Bogdan erregt. "Beim Bodenturnen."

Adele nimmt das Stichwort auf. "Beim Bodenturnen", sagt sie. "Die meisten kriegen die Beine nicht weit genug auseinander." Sie haucht ihm leise ins Ohr. "Manchmal, wenn ich helfe, dann streichle ich wie zufällig über ihre kleinen Kaffeebohnen."

Bogdan stöhnt. "Kaffeebohnen." Er sieht sie vor sich. Die engen Höschen, durch die sich das alles abzeichnet. Die kleinen Schlitze. Die kleinen Wülste. Vielleicht ein kleines bisschen Feuchtigkeit. "Weiter", bettelt er flüsternd. "Weiter!"

"Die kleine Rote hatte wieder das kürzeste Höschen an."

Die kleine Rote, das Rotmöschen! Adele erzählt jetzt Bogdans Lieblingsmärchen. "War ihr ... wieder... etwas rausgerutscht?" Bogdan kann es kaum sagen. Er hat einen trockenen Mund.

"Auf einer Seite", flüstert Adele und streichelt sein Glied jetzt schon etwas heftiger. "Auf einer Seite schauten kupferrote Härchen raus."

"Härchen", wiederholt Bogdan. Er sieht die roten Härchen auf dem weißen Schenkel. Er will mehr sehen.

"Sie hat Spagat machen müssen", sagt Adele. "Ich habe ihr gesagt: Mach die Beine ganz breit."

"Ja."

"Sie wollte nicht. Sie hat gesagt, das tut weh."

"Und du?" fragt Bogdan fast atemlos. "Was hast du gesagt`?"

"Ich habe ihr einen Klaps auf den Po gegeben: Hab dich nicht so, hab ich gesagt, hab dich nicht so, sonst...." sie redet nicht weiter. Sie lässt Bogdan weiter denken.

"Hab dich nicht so, sonst zieh ich dir die Höschen stramm", denkt Bogdan. Er schaut zu, wie Adele die kleine Rote packt. Er schaut zu, wie sie die kleine Rote übers Knie legt. Er sieht, wie sie zappelt und hört wie sie sagt: "Nein, bitte nicht." Er steht dabei, ganz dicht dabei und sagt: "Wer nicht hören will, muss..."

Adele haut ihr nicht auf den Po. Adele zieht ihr das Höschen aus und lässt Bogdan den weißen Po sehen und die Kaffeebohne, umgeben von kupferrotem Haar. Sie spreizt die Backen auseinander, damit er besser sieht. "Schau dir ihre kleine Rosenknospe an." Die Rosenknospe zuckt, als ob der Frühling da ist und sie sich öffnen muss.

"Jetzt ich", sagt Bogdan. Er streichelt die Knospe. Er fährt mit dem Finger um sie herum. Sie zuckt. Die Backen zucken. Adele lässt los.

"Weiter", bettelt Bogdan.

"Dann habe ich ihr drübergestreichelt, über die Wülste, und den Schlitz, und ich habe ihr gesagt: Das tut nicht weh."

"Drübergestreichelt", sagt Bogdan. Seine Hand geht zu Adeles Hand hinunter. Seine Hand umfasst Adeles Hand. Er zeigt ihr den Rhythmus, den er jetzt will.

"Sie hatte keine Angst mehr?" fragt Bogdan. Er hofft, dass Adele versteht.

"Sie hatte immer noch Angst", sagt Adele. Beide streicheln sie sein Glied. Bogdan spürt, dass es heiß wird in seinem Bauch. Er spürt, dass sich das zusammenzieht in ihm. "Sie hatte so viel Angst, da ist ihr ein kleiner Tropfen..."

Bogdan zuckt unter Adeles und seiner Hand. Bogdan kommt. Er

schlägt mit dem Kopf gegen das Kissen. Wieder und immer wieder. Er schreit und er stöhnt.

"Hey", sagt Adele. "Du fährst ja wirklich auf die kleine Rote ab."

\*\*\*

Er hat Adele im Zug kennengelernt. Im Zug auf der Fahrt von Florenz nach Neapel. Er wollte weiter auf eine der Inseln nördlich von Sizilien. In Neapel war Schluss. "Tutti partiti", sagte der Mann am Schalter. "Domani."

Adele hatte ihm geholfen, die Auskunft zu bekommen. Ihr Italienisch war besser als seins. Außerdem ist sie eine Frau. Frauen, wenn sie blond sind, insbesondere, Frauen, wenn sie so sind wie Adele, kriegen alles von den Italienern, was sie verlangen. Auskünfte, Anträge, Pfiffe, wenn sie vorbeigehen, Einladungen. Der Eisenbahner fragte sie sofort. "Cosa fa stasera, signorina?" Er lächelte und fuhr sich dabei durch die Haare wie ein Schauspieler.

Bogdan war hastig dazwischen gegangen. "Wollen wir zusammen essen heute abend? Ich lade Sie ein."

Danach hatten sie festgestellt, dass es nirgendwo ein Hotelzimmer gab, das man bezahlen konnte. Nur Adele hatte eins. "Wenn Sie wollen", sagte sie am Ende. "Sie können im zweiten Bett schlafen. Es ist ein Doppelzimmer."

Männer sagen das zu Frauen. Sie fügen hinzu, dass sie sich selbstverständlich keine Sorgen machen müssen. Später wird man sehen. Bogdan war erstaunt. "Es macht Ihnen wirklich nichts aus?"

"Ich kann mich wehren", sagte Adele. Bei der Gelegenheit hatte sie ihm gesagt, dass sie Sportlerin ist. Dass sie auch Karate kann. "Ich breche jedem alle Gräten, wenn ich will."

"Hoffentlich nicht meine", sagte Bogdan und lachte unbehaglich.

"Es liegt in Ihrer Hand."

Sie aßen in einem kleinen Restaurant in der Nähe vom Hafen. Die beiden Kellner tanzten Ballett um Adele herum. "Die Signorina möchte..., ist die Signorina zufrieden..., hat die Signorina noch einen Wunsch?"

"Wir sollten uns duzen", sagte Adele plötzlich. Sie stießen an und tranken ein wenig Wein. Sie beugten sich vor und ihre Münder trafen sich in der Mitte des Tisches über einer Plastikrose in einer mit Sand gefüllten Vase. "Das wird sie beruhigen", sagte Adele.

Sie hatte recht. Die Kellner waren plötzlich langsam. Sie schlichen nur noch durch die Trattoria. Wenn sie an ihrem Tisch vorbeikamen, konnten sie hören, wie ihre Füße schwer, müde und mühsam über den Boden schlurrten. Alles an ihnen schien schlaff. "Jetzt ist es eine Trotteria", sagte Adele und lachte.

Sie zahlten und gingen. "Buona sera, signorina!" Die Stimmen der Verlierer. Mürrisch, ohne Hoffnung. "Ridi pagliaccio!"

Sie liefen am Hafen entlang. Über dem Meer war ein Stück vom Mond zu sehen, die bessere Hälfte, die zum Vollmond ging. "Mein Gott ist das romantisch", sagte Adele. Sie lehnte sich gegen Bogdan. "Wenn jetzt einer O mia bella Napoli singen würde", seufzte sie.

Bogdan begann zu singen. "Wenn bei Capri..." Das Lied kam ihm bekannt vor. Wann hatte er es gesungen?

"Du nicht, Um Gottes Willen!" sagte Adele. "Du sollst nicht singen." Sie hielt ihm den Mund zu. Adele war musikalisch, Bogdan nicht.

Bogdan hielt die Hand fest und küsste sie. Adele zog sie nicht zurück. Er schob den Arm hinter ihren Rücken und zog sie zu sich heran. Er nahm ihre Hand von seinen Lippen. Er hielt Adele fest und küsste sie. Er spürte, dass Adele in den Knien weich wurde. "Hey", sagte sie noch halb in seinen Mund hinein und machte sich frei. "Bist du verrückt?! Was hast du da gemacht?"

Es stellte sich heraus, dass ihre Küsse sich gesucht und gefunden hatten. Sie verbrachten die ganze Nacht damit. Sonst geschah nichts, Adele hielt ihre Schenkel wie ein Schraubstock geschlossen. Karate hatte ihre Muskeln gestählt. "Es geht heute nicht", sagte sie schließlich.

Am nächsten Morgen war sie verschwunden. Der Portier weckte ihn durch das Telefon. "Sono le nove, signore!" Auf Bogdans Nachttisch lag ein Zettel. "Dein Zug geht um zehn. Es war schön. Willst du mich wiedersehen?"- Darunter stand Adele und darunter stand ihre Adresse.

***

"Warum haben wir uns nie wiedergesehen?" fragt Bogdan.

"Haben wir doch", sagt Adele. "Ich bin doch jetzt hier."

"Ja aber..." sagt Bogdan.

"Du vergisst, dass wir uns in Florenz getroffen haben. Und in Syracus. Auf Madeira auch. Und immer nach dem Turnen, in Berlin, weißt du das nicht mehr?"

"Ich weiß nichts mehr", sagt Bogdan. "Ich glaube, ich weiß überhaupt nichts mehr."

"Ich bin immer bei dir. Immer, wenn du mich brauchst."

"Ich brauche dich immer", sagt Bogdan.

Adele lacht. "Weißt du noch, als ich meine Freundin mitgebracht habe?"

Bogdan zögert. Er sucht in seiner Erinnerung. "Luciana?"

"Die auch. Ich meine Tanja."

Bogdan denkt nach. Tanja. Er kennt nur eine Tanja. Tanja mit den langen schwarzen Stiefeln. Tanja, der gestiefelte Kater. Tanja, die gestiefelte Katze. Tanja mit dem schwarzen geschnürten Mieder... "Die war von dir?" murmelt Bogdan fragend. Er schließt die Augen.

## 16

*DIE GESTIEFELTE KATZE.*

Er kommt etwas später. Sie sitzen alle schon am Tisch in der Küche. Tanja ist auch da, neben ihr haben sie einen Platz für ihn frei gelassen. Sie haben sich lange nicht gesehen, er und Tanja, damals mit Adele, dann erst wieder, als sie geheiratet hat. Dazwischen ist eine Menge geschehen. Tanja ist nicht mehr mit dem Mann zusammen, sie leben getrennt. "Tanja schläft heute Nacht hier", sagt Gisela. "Sie schläft vorn." Vorn, das heißt im Wohnzimmer. Er schläft im Arbeitszimmer von Kurt auf der Couch. Das hat sich so eingebürgert, wenn er in die Stadt kommt und ein paar Tage mit ihnen verbringt. Nur wenn Kurt nicht da ist, schläft er im Schlafzimmer, auch das hat sich im Lauf der Jahre so ergeben. Kurt ist oft nicht da.

Gisela kocht. Hin und wieder spürt er ihren Blick in seinem Rücken, er sitzt mit dem Rücken zum Herd. "Wie war's bei deiner Verlegerin?" hört er sie sagen. "Erfolgreich?"

Er dreht sich um. Sie schaut ihn aufmerksam an. Sie weiß, dass er immer schon hinter Tanja her war. Wenn damals Adele nicht gewesen wäre...

Tanja ist schön. Tanja ist schwarzhaarig, Tanja hat Augen wie Kirschen, dunkel wie schwarzer Wein. Wenn er sie anschaut, ziehen ihre Lippen seinen Blick an, er schließt aus den Lippen immer auch auf die anderen, schmallippige Frauen mag er nicht. Volle Lippen hat Tanja. Zwischen Tanjas Lippen kommt häufig ein Spitzchen Zunge hervor. Er nimmt es für die Klitoris. "In Ordnung", sagt er zu Gisela. "Alles war in Ordnung."

"Tanja ist zufällig vorbeigekommen", sagt Kurt.

"Rein zufällig", sagt Tanja. "Eigentlich wollte ich heute schon zurück nach Berlin."

"Dann hat sie erfahren, dass du da bist", sagt Gisela. Er hört die Warnung in ihrer Stimme.

Tanja protestiert. "Deshalb bleibe ich nicht hier. Bogdan hat damit nichts zu tun." Sie macht mit den Händen eine Bewegung, als ob sie etwas glätten wollte. "Nichts."

"Natürlich nicht", sagt Gisela mit Betonung.

Bogdan schaut Tanja an. Tanja schaut zurück. Ein Stückchen Zungenspitze schaut ihn ebenfalls an. Es schaut durch die Zähne. Tanjas Lippen sind weich wie eine Einladung, die auf dunkelrotem Samt geschrieben worden ist. Er lächelt sie an. Die Zungenspitze zuckt.

Gisela kocht das Essen, Kurt macht die Weinflaschen auf. Tanja erzählt von ihrer Trennung. Sie erzählt und trinkt Wein. Gisela bringt das Essen auf den Tisch und Kurt macht mehr Weinflaschen auf. Tanja hört nicht auf zu erzählen. "Er wollte, dass ich Strip Tease mache. Und er wollte es filmen."

"Hast du's gemacht? Hat er's gefilmt."

"Ich bin doch nicht verrückt", sagt Tanja. "Einmal vielleicht. Aber dann wollte er, dass ich..." Sie unterbricht sich.

Sie trinkt mehr Wein und erzählt weiter. Manchmal wiederholt sie sich. "Er wollte, dass ich Strip Tease mache."

"Das hast du schon erzählt."

"Auch, dass ich mir was reinstecken sollte?"

"Das nicht. Was denn?" Plötzlich ist Kurt interessiert. Er legt den Korkenzieher aus der Hand und schaut sie an.

"Sag ich nicht", sagt Tanja.

Sie trinkt mehr Wein. Sie isst wenig.

"Schmeckt's dir nicht?" fragt Gisela ein bisschen verärgert.

"Die Lampe, mit dem Aufsatz, der wie ein Zeppelin aussieht. Weißt du, was ich meine?"

"Was ist damit."

"Das sollte ich mir reinstecken. Den Zeppelin."

"Donnerwetter", sagt Kurt. "Dieses Riesending." Er macht eine Bewegung mit den Händen. Er formt den Zeppelin nach. Er weiß, wovon er spricht, und worüber er sich wundert. Die Lampe mit dem Zeppelin haben er und Gisela den beiden zur Hochzeit geschenkt. Allerdings eher als Leselampe.

"So groß war er auch wieder nicht", sagt Tanja. "Außerdem habe ich das nicht getan. Höchstens mal mit ordentlich Vaseline drauf." Sie sieht sich auf dem Tisch um. "Gibt es Grappa?"

Schließlich fängt sie an zu weinen. "Er hat mich monatelang nicht mehr angefasst. Ich musste Sachen machen, und er hat nur zugeschaut."

"Was für Sachen?" fragt Kurt. Sein Interesse brennt regelrecht. Er hat einen roten Kopf. "Erzähl doch mal und hör auf zu heulen."

Tanja trocknet sich die Tränen. Sie tupft sie vorsichtig mit einem Papiertuch ab. "Alles Mögliche", sagt sie. "Lauter Sauereien." Sie sitzt jetzt sehr nahe bei Bogdan, und er spürt über den winzigen Abstand zwischen ihrem Schenkel und seinem, wie ihre Wärme auf ihn übergeht. Die Wärme aus Monaten verlorener Zeit, aus Versuchen, die am Ende nichts mehr brachten.

Tanja sucht nach ihrer Handtasche, um ein neues Taschentusch zu finden, aber dort, wo sie sucht, ist die Tasche nicht, dort, wo sie sucht, wartet Bogdans Hand. Für einen kleinen Augenblick, klein genug, dass es niemand merkt, Kurt nicht, der nach einer neuen Flasche greift und dabei angestrengt nachdenkt, was für Sachen Tanja wohl hat machen müssen, Gisela nicht, die mit dem Wachs der Kerzen spielt, weil Tanjas Gerede sie nicht interessiert, für einen kleinen Augenblick gleiten ihre Hände ineinander. Sie versprechen sich, dass alles besser werden soll.

Irgendwann ist Mitternacht. Irgendwann fällt ein Weinglas um. Irgendwann stellt Gisela gähnend fest, dass es Zeit ist, ins Bett zu gehen, jeder in sein eigenes, fügt sie warnend hinzu und blickt Bogdan an. "Wehe", sagt ihr Blick.

Bogdan schüttelt unmerklich den Kopf. "Keine Sorge", lügt sein Blick.

Tanja geht als Erste in ihr Zimmer, Kurt geht kurz darauf. Kurt ist betrunken, er hat zu viel Grappa getrunken. Aus dem Wasserglas. Er murmelt mühsam: "Gute Nacht."

"Schade, dass er da ist", sagt Gisela. Sie sagt es leise und legt einen Arm um Bogdans Schulter. Als er nicht sofort antwortet, schickt sie ein schnelles "Oder?" nach.

"Ja, schade."

"Wenn du willst, komme ich nachher zu dir. Er wird schnell schlafen."

"Lieber nicht", sagt Bogdan."Es ist gefährlich."

Gisela lächelt. "Bis gleich", sagt sie. "Wenn er betrunken ist, weckt ihn nicht mal ein Feuer auf."

"Ich bin auch betrunken", lügt Bogdan.

Bogdan liegt auf der Couch und hofft, dass die Tür nicht aufgeht. Er liegt auf der Couch und hofft, dass Kurt noch einmal aufwacht und mit Gisela schläft, weil Tanjas Stories ihn erregt haben. Oder dass er aufwacht und Hunger hat, oder dass er wenigstens kotzen muss. Ganz toll hat Bogdan es nie gefunden, dass er für Gisela tun muss, was Kurt nicht für sie tut. Das sind ungedankte Freundesdienste. Wenn es dann eines Tages herauskommt, kann das viel Ärger geben und brennenden Hass.

Seine Erinnerung geht zurück. Durch die Nacht hindurch erforscht er noch einmal, wie zum Teufel das begonnen hat mit Gisela. "Hast du auch genug Decken?" Sie war schon im Nachthemd. Sie kniete neben der Couch nieder und griff unter die Bettdecke. "Du bist ja ganz kalt!" sagte sie, obwohl er ganz warm war. Dann begann ihre Hand unter der Decke zu suchen und streifte wie zufällig sein Glied, und Gisela schluckte in plötzlicher Erregung wie ein Kind, das die Finger in den Honigtopf getaucht hat. Sie umfasste sein Glied und erlebte, wie es hart und steif wurde. Sie sagte: "Oh!" Sie beugte sich über ihn und wollte ihn küssen. Sie roch nach Zahnpasta und Creme, und er musste, er erinnert sich genau daran, er musste an die

Wattestäbchen denken, mit denen sie sich die Nase und die Ohren reinigt und an die ganze Watte, die sie im Badezimmer für Dutzende Anlässe hat.

Kurt war plötzlich ins Zimmer gekommen, weil er wissen wollte, was Gisela da noch machte. "Nur sehen, ob er auch genügend Decken hat, dein Freund", sagte Gisela. Die Hand hatte sie schnell weggezogen, außerdem, wenn Kurt die Brille nicht aufhatte, sah er nicht mehr viel. Die beiden haben das Zimmer verlassen. Später hat Bogdan gehört, dass sie noch einmal ins Badezimmer gingen. Erst sie, dann er. Sie summte ein Lied. Er furzte.

Seine Gedanken werden unterbrochen, an der Tür ist ein ganz leises Geräusch. "Gisela", denkt er lustlos. Es fällt ihm ein, dass er die Tür auch hätte abschließen können, er hört sich, wie er leise "Mist verdammter!" sagt.

Das Weib ist schwarz und weiß im Widerschein der Stadt, der durch die Fenster dringt, es ist schwarz, und es ist weiß. Es ist schwarz von den Zehen bis zu den Knien. Es ist milchig weiß von den Knien bis zu den Hüften, dann wieder schwarz, dann wieder weiß, dann schwarzes Haar.

Tanja dreht sich um und schließt leise die Tür. Zwischen dem ersten und dem zweiten Schwarz schimmert ihr Hintern und schimmert ihr Bauch. Bogdan erkennt, dass sie die Stiefel anbehalten hat, die hohen Stiefel, die übers Knie gehen. Er ahnt, dass sie ein schwarzes Mieder anbehalten hat, das ihre Taille schnürt. Er sieht darüber ihren weißen Rücken, er ahnt darüber schwarzes Haar. Er richtet sich auf. Er atmet tief ein. Er atmet tief aus. "Tanja", flüstert er.

Er gleitet von der Couch wie ein Schatten, er ist bei ihr, bevor sie noch den Schlüssel herumgedreht hat. "Bleib so", flüstert Bogdan. "Bleibt so stehen!" Seine Fingerspitzen nehmen ihren Hintern in Besitz.

Tanja rührt sich nicht. Sie bleibt reglos stehen, sie nimmt die Berührung wie im Traum entgegen, "ich darf mich nicht bewegen", mag sie denken. "Ich darf mich nicht bewegen, sonst werde ich wach."

Er kniet hinter ihr nieder und küsst sie. Er küsst sie mit den Lippen und mit der Zunge, mit seinem Bart und seinen Händen, mit seinen Wangen und seinem Kinn. Alles an ihm küsst Tanja. Seine Zunge sucht ihren Weg die Rille hinab. Seine Hand sucht die Wärme ihrer Spalte.

Tanja macht eine kleine Bewegung, sie soll seinem Finger helfen, die Pforte zu öffnen. Jetzt seufzt Tanja zum ersten Mal laut.

Bogdan steht auf. Er dreht Tanja zu sich hin und küsst sie mit seinem nassen Mund. Er steckt ihr seinen Finger in den Mund. Sie leckt ihn ab. Er küsst sie wieder, und beide schmecken den Cocktail der Düfte.

Er weiß, dass er sich nach Tanja Jahre lang gesehnt hat. Er weiß, dass er in sie hinein muss, jetzt.

"Komm!" sagt Tanja, weil sie hört, was er denkt.

Er schiebt sie zur Couch hin. In der Mitte des Raumes spürt er ihren Widerstand. Er spürt ihren Mund an seinem Ohr. "Ich will, dass du mich von hinten nimmst!" Sie macht sich von ihm los. Sie kniet auf dem weißen Teppich nieder, langsam wie ein Opfertier in einem festgelegten Ritual, sie stützt sich auf die Ellbogen, sie neigt den Kopf zurück, sie bietet ihm zwischen den schwarzen hohen Stiefeln und dem schwarzen geschnürten Mieder ihren Mond. Und ihre Frau im Mond, die schwarz herausdrängt, herausdrängt wie der Kegel eines Vulkans. An den Rändern glitzert Tau.

Er kniet hinter ihr nieder. Und als er langsam in in sie eindringt, langsam, so langsam, wie sie niedergegangen ist, langsam, unendlich langsam, wie die Zeit in dieser Nacht, greift ihre Hand nach hinten. Langsam sieht er ihren Arm wie eine Schlange über den Boden kommen. Sie wächst suchend auf dem Teppich auf ihn zu. Die Hand greift seinen Sack, als ob das ihre Beute wäre. Sie hält ihn fest, als ob es für immer sein soll, als ob ihr Opfer sein Opfer bedingt. Ihre

Haare sind seine Zügel, er ergreift sie und reitet sie durch die bunten Bilder ihrer Lust.

"Wenn ihr nicht aufmacht, schreie ich." Gisela muss schon lange an der Tür gewesen sein. Sie haben sie nicht gehört. Sie hören es erst jetzt, als die Zeit zurückkehrt und die Uhren wieder ticken. Tanja ist unter ihm zusammengesackt. Sein Kopf liegt neben ihrem Bauch. Er atmet ein, was sie verströmt haben.

"Mach ihr auf", flüstert Tanja.

"So?" fragt er. Er meint: "So nackt?"

"So", antwortet Tanja. "So nackt."

Er gehorcht. Er geht zur Tür und dreht den Schlüssel herum. Gisela drückt sich an ihm vorbei ins Zimmer. Sie hat einen Bademantel an. "Man hört euer Stöhnen bis aufs Klo", sagt sie vorwurfsvoll. "Und das riecht wie..." sie will sagen, wie im Puff. Sie denkt es nur. Sie sagt es nicht.

Sie schaut zu Tanja hinüber, und sie sagt zu Bogdan: "Sie hat einen Hintern wie der Mond." Neid schwingt mit, Bedauern.

"Auf dem Mond ist gerade der Adler gelandet", sagt Tanja und lacht. "Und sie haben den Fahnenmast eingepflanzt." Sie ist wieder nüchtern. Der Rausch hat den Rausch verfliegen lassen. "Ein kleiner Schritt für seinen kleinen Mann", sagt sie. "Ein großer Schritt für meine Menschheit."

"Der erste Mann im Mond war er jedenfalls nicht", sagt Gisela spitz.

Bogdan streichelt Gisela über den Rücken. "Sei nicht böse", sagt er leise.

"Komm doch zu uns", sagt Tanja noch leiser. "Willst du nicht?"

Bogdan schaut Gisela fragend an. Er kann sehen, dass sie überlegt. Sie runzelt die Brauen und schaut durch die halbe Dunkelheit angestrengt zu Tanja hinüber. Tanja macht eine Bewegung mit der Hand. "Komm doch", soll das heißen. Bogdan schiebt sie ein wenig.

Gisela geht langsam auf Tanja zu und hockt sich neben sie hin.

Ihr Bademantel teilt sich, sie zeigt ihre Brüste und ihren Leib. Ihre Hand geht zu Tanjas Rücken, sie zeichnet mit dem Fingernagel die Grenze zwischen Taille und Mieder nach. Ihre Hand gleitet über Tanjas Hintern. "Schön", sagt Gisela versöhnlich. "Schön bist du." Sie denkt nach und sagt dann: "Bloß ich, ich habe einen Arsch wie ein Mann." Damit meint sie, dass sie umfassend behaart ist.

Tanja küsst sie: "Ist doch egal."

"Wie du schmeckst!" sagt Gisela. Ihre Stimme klingt erregt. Ihre Hand gleitet streichelnd über Tanjas Schenkel. Ihre Finger nehmen die Feuchtigkeit wahr, die immer noch aus Tanja quillt. "Der Teppich", sagt sie nachdenklich wie eine gute Hausfrau, die immer weiß, dass man bei allem allerhand bedenken muss. Dann leckt sie an ihren Fingern, und sie sagt: "Bogdan und du." Ihr Gesicht senkt sich mit einem Seufzer über Tanjas Schenkel, und Bogdan hört das leise Geräusch. Er sieht, dass Tanja sich windet. Er hört, dass Tanja stöhnt.

Gisela sitzt auf ihm. Sie reitet seinen Schwanz. Tanja sitzt auch auf ihm. Er hat ihre schwarze Möse im Mund und ihre schwarzen langen Stiefel links und rechts von seiner Brust. Die Frauen küssen sich. Hoch über seinem Bauch begegnen sich ihre Lippen und Zungen. Sein Bauch ist nass von ihrer Spucke. Sein Gesicht ist nass von Tanjas Saft. Er hört Gisela sagen: "Wenn ich gekommen bin, dann will ich sehen, wie er dich von hinten vögelt." Die beiden Frauen lachen. Bogdan macht unter Tanja ein bedenkliches Gesicht. Ist das für die Olympiade? An Kurt denkt niemand mehr.


17

*THERESA, UNTEN OHNE.*


"Was ist das?" fragt Bogdan. Er spürt etwas in seinem Mund. Es schmeckt süß. Er setzt sich im Bett auf und schaut auf die Schenkel der Frau. "Was hast du da? Dazwischen?"

Sie zuckt die Achseln. "Eine Cognac-Bohne", sagt sie. "Du magst doch Cognac-Bohnen. Oder nicht?"

"Ich weiß nicht, woher du das wissen willst", sagt Bogdan. "Ich habe keine Ahnung, wer du bist. Außerdem mag ich lieber Mon Cherie."

"Ausgepackt oder mit Stanniol drum herum?" Die Frau schaut ihn an und lacht. "Das ist deine Medizin", sagt sie. "Du musst sie immer schön nehmen. Sonst wirst du nicht gesund."

"Du spinnst", sagt Bogdan. "Ich habe noch nie gehört, dass man Medizin so nimmt. Ich glaube, du spinnst." Er schaut zu ihren Schenkeln hin. In der Mitte glitzert, umgeben von buschigem Dunkelbraun, silbernes Stanniol. "Mon Cherie", sagt er noch einmal. "Wenn schon, denn schon Mon Cherie."

"In Ordnung", sagt die Frau. Sie nestelt mit spitzen Fingern die Cognac-Bohne aus ihrem Busch. Sie wickelt sie aus und steckt sie in den Mund. Sie greift hinter sich und ihre Hand kommt mit einem Mon Cherie zurück. "Ich packe es dir aus", sagt sie und wickelt das Stanniol ab. "Dann brauchst du das Stanniol nicht mitzufressen." Bogdan schaut zu, wie sie ihre Schenkel spreizt, bis mitten im Busch eine klaffende Lücke entsteht. Er sieht, wie sie das braune Stück Konfekt zwischen ihre Lippen klemmt. "So", sagt die Frau zufrieden. "So, das hätten wir. Nun komm!"

Sie streckt die Hand nach seiner aus. "Ich bin die Schwester Hildegard", sagt sie. "Du brauchst keine Angst vor mir zu haben."

Bogdan legt sich wieder zurück. "Du kannst dein Konfekt selber essen", sagt er. "Mit Nonnen habe ich noch nie was am Hut gehabt."

"Ich bin evangelisch", sagt Schwester Hildegard. "Da brauchst du keine Angst zu haben. Wir dürfen so etwas tun. Wir sind keine Nonnen. Ich zeige dir mal, wie man es macht." Er sieht, wie sie sich krümmt. Er sieht, wie ihr Gesicht zwischen ihren Schenkeln verschwindet. Er hört, wie ihre Zähne das Konfektstück packen.

"Schau her", sagt Schwester Hildegard. "So wird das gemacht."

Sie hält das Stück Konfekt zwischen ihren Zähnen. Ihr Mund nähert sich seinen Mund. Er will zurückweichen, sie hält ihn fest. Ihre Zähne knacken das Stück Konfekt. Der Brandy läuft in seinen Mund hinein. Es schmeckt scharf und es schmeckt süß. Es schmeckt außerdem nach Schwester Hildegard, nach dicken weißen Schenkeln und dunkelbraunem Haar, nach Nachtschicht und Nässe, nach... "Es ist ein Haar drin!" würgt Bogdan. Er kneift die Augen zu und schüttelt sich.

Bogdan polkt das Haar aus den Zähnen. Er spuckt und wendet den Kopf zur Seite . "Geh", sagt er mühsam. "Mach, dass du wegkommst! Wasch dich erst mal." Er hat das Gefühl, dass er sich übergeben muss. Er öffnet die Augen und ist froh, dass sie verschwunden ist. Er steht auf und geht zur Tür. "Wer ist da?" fragt er. "Wer klopft da?"

***

Sie steht in der Tür, und sie schaut neugierig in sein Wohnzimmer hinein. "Warst du etwa noch im Bett? Warum hast du den Pyjama an."

"Nein nein", sagt Bogdan. "Ich bin schon lange auf. Komm ruhig rein." Er steht auf und geht zum Spiegel. Er schaut hinein. Unrasiert?

"Du bist eitel", sagt sie. "Du weißt doch ganz genau, dass du gut aussiehst."

"Meinst du?" fragt Bogdan. Er schaut tiefer in den Spiegel hinein. Das Zimmer kennt er nicht. Den Mann im Spiegel kennt er kaum. Wie alt war er da? War das vor zwanzig Jahren? Vor dreißig?

Hinter ihm im Spiegel taucht ihr Kopf auf. Blaue Augen schauen in den Spiegel. Um den Hals eine Kette mit einem goldenen Kreuz. Der dritte Blusenknopf wäre besser geschlossen. Er zeigt zu viel. Er zeigt, dass sie keinen BH trägt.

Bogdan erinnert sich an sie. Sie ist die Tochter der Vermieterin. Er hat ihr Foto auf der Vitrine gesehen. Zusammen mit der Mutter. Arm in Arm. Und zusammen mit dem Vater. Auf dessen Arm. Da war sie noch kleiner. Da war der Vater noch im Haus. Gestern ist sie angekommen, aus dem Internat in die Sommerferien. Bogdan wohnt seit einem Monat in diesem kleinen Apartment unter dem Dach der alten Villa.

"Mammi hat mir von dir erzählt. Dass du schöne Bücher hast. Kann ich sie mal ansehen?"

Bogdan macht eine einladende Bewegung zum Bücherregal hin. Das Kompliment hat ihm Vergnügen bereitet. Er ist stolz auf das volle Bücherregal. Er ist überzeugt, dass jeder, der es sieht, daran erkennt, wen er mit Bogdan vor sich hat. Selbst ein Kind muss das sehen. Das Bücherregal ist seine Visitenkarte. Geschichte. Politik. Nur wenige Romane. Viel Psychologie.

Sie geht an ihm vorbei. Sie streift sein Kinn mit ihren Haaren. Braun sie sind. Lang sind sie und glatt. Und sie duften nach Dusche. Ein bisschen auch wie Brausepulver, Erbeergeschmack. Sie sind noch feucht. "Warst du vielleicht doch noch im Bett?" fragt sie noch einmal. "Mal ehrlich."

Er war nicht mehr im Bett. Er sitzt schon seit zwei Stunden am Schreibtisch. Er ist im Morgengrauen aufgestanden. Er liest und korrigiert, was er in den letzten drei Tagen geschrieben hat. "Wie heißt du denn?" fragt er und lächelt zu ihr hin. Hat die Mutter ihm das schon gesagt? Müsste er das wissen? Er erinnert sich nicht.

"Theresa"", sagt sie. "Aber alle nennen mich Terry. Du musst auch Terry zu mir sagen, ok? Und ich weiß, dass du Bogdan heißt." Sie lacht.

Er schaut sie fragend an. "Warum lachst du?"

"Wenn man's mit ck schreiben würde, wär's zum Brüllen." Sie prustet los. Sie läuft zum Sofa und wirft sich hinein. "Bockdan", prustet sie. "Bockdan." Sie setzt sich auf. "Das ist noch von Opa Otto", sagt sie und zeigt auf das Sofa. "Er war verrückt. Wir haben es Ottomane genannt. Opa Otto war Mammis Pappi." Sie schaut ihn an. "Ich störe dich, oder? Hast du gerade etwas gemacht?"

"Warum?"

"Weil du so komisch rumstehst. Als ob ich wieder gehen soll." Sie steht auf. "Soll ich gehen?"

Bogdan schüttelt den Kopf. Sie lässt sich wieder auf das Sofa fallen. Er geht in die Küche und kommt mit dem Tablett zurück, das er sich da vorbereitet hat. "Ich wollte gerade frühstücken. Frühstückst du mit?"

"Dann warst du also doch noch im Bett." Der Gedanke scheint sie zu faszinieren. Sie kommt nicht von ihm los. "Ok", sagt sie dann. "Ich frühstücke mit."

Er geht noch einmal in die Küche zurück. Er holt einen zweiten Teller und eine Tasse. Als er zurückkommt, hat sie das Ei gepellt. "War das für mich? Willst du auch?" Sie hält ihm den Plastiklöffel hin. Ein Tropfen Eigelb fällt herunter auf den Teppich. Theresa setzt den Fuß darauf und zerreibt das Eigelb. Sie lacht und schiebt ihm den Löffel in den Mund. Sie tunkt den Löffel noch einmal ins Ei und kommt mit wässerigem Eiweiß zurück. "Es ist nicht hart genug gekocht", sagt sie tadelnd und lässt die Hausfrau herausschauen, die sie eines Tages sein wird. "Du musst mindestens fünf Minuten warten." Sie schaut für einen Augenblick zögernd auf den Löffel. Dann schlürft sie das Eiweiß trotzdem. Sie schaut ihn an und lacht. Sie wird rot unter seinem Blick. "Was guckst du so blöd?"

Kaffee will sie nicht. Coca Cola trinkt sie lieber, sagt sie. Auch zum Frühstück. Immer. Tag und Nacht. Von früh bis spät. "Coca Cola is it!" sagt sie. Er geht zum Kühlschrank und holt eine Flasche. "Ohne Kalorien", sagt sie anerkennend. "Hast du Erfahrung mit jungen Frauen?"

"Du meinst mit Kindern?"

"Ich meine mit Frauen", sagt Theresa. "Mit Frauen, die noch jung sind. Mit Frauen, die noch jung sind, wie ich."

Sie isst. Sie redet mit vollem Mund, sie schaut sich in der Wohnung um. "Also da sind deine Bücher." Sie zeigt mit dem Colaglas auf das Regal im Hintergrund an der schrägen Wand. Ihr Blick umfasst das Zimmer. Sie zeigt auf die Obstschale, die am Fenster steht. "Kann ich eine Banane essen?" Sie wartet seine Antwort nicht ab. Sie steht auf und geht zur Obstschale. Sie schlendert durch die Wohnung, während sie die Banane schält. Sie beißt ein Stück ab und kaut darauf herum. Sie zeigt mit dem Rest der Banane auf einen Vorhang. "Ist dahinter dein Schlafzimmer?"

"Nur ein Bett."

"Kann ich es sehen?" Sie wartet nicht. Sie ratscht den Vorhang beiseite und betrachtet sein Bett. "Ein Japanisches", sagt sie. "Ist das nicht zu hart?"

"Es ist noch nicht gemacht", sagt Bogdan.

"Egal. Ich mache mein Bett auch immer nie. Wenn ich hier bin", fügt sie hinzu. "Hast du ein Schlaftier?"

"Ich habe keins."

"Ich habe einen Teddy. Er ist total verküsst." Sie lacht. "Hast du einen Sorgenbeutel?"

"Was ist das?"

"Da sind kleine Püppchen drin. Wenn du Kummer hast, sagst du es ihnen und legst sie unter das Kopfkissen. Am nächsten Morgen ist der Kummer weg."

"Was für Kummer?"

"Irgendwelcher. Vielleicht Liebeskummer. Hast du Liebeskummer?"

"Manchmal", sagt Bogdan.

"Ich immer", sagt Theresa. "Die Jungens sind so gemein." Sie kommt zum Tisch zurück und setzt sich wieder hin. Sie taucht ein Stück Brötchen in die Schale mit der Erbeermarmelade, sie dreht es hin und her. Sie schaut ihn nachdenklich an. "Läufst du den ganzen Tag im Pyjama herum? Gehst du auch damit aus?" Sie lacht. Der Gedanke gefällt ihr. "Dann wirst du bestimmt verhaftet, weil sie denken, du bist verrückt. Dann kommst du in die Klapsmühle. Wie Opa Otto. Mit deinem seidenen Pyjama." Sie muss noch mehr lachen und verschluckt sich an dem Brötchen und der Erdbeermarmelade. Sie beginnt schrecklich zu husten, sie spuckt Brötchenkrümel und Marmelade, sie wird dunkelrot im Gesicht.

Bogdan springt auf und läuft um den Tisch herum zum Sofa. Er klopft ihr auf den Rücken. Er sagt "tief atmen!" und hebt ihr die Arme hoch. Sie kommt wieder zu sich. "Scheiße!" sagt sie. Sie hat jetzt Tränen in den Augen. "Ich wäre fast erstickt."

Bogdan zieht ein Taschentuch aus der Pyjamatasche. Er trocknet ihr die Tränen. Er wischt ihr den Mund ab. "Danke", sagt Theresa krächzend. Sie nimmt das Taschentuch und putzt sich die Nase. Sehr laut. Sie schiebt das Taschentuch zwischen die Sofaritze nach Frauenart. Bogdan will es wieder herausziehen. Sie lässt ihn nicht. "Komm her", sagt sie erschöpft und greift nach seiner Hand. Sie zieht ihn auf das Sofa und legt ihren Kopf in seinen Schoß.

Bogdan überlegt, ob er sich anziehen soll. Aufstehen, ins Bad gehen, sich anziehen. Zurückkommen und sagen: "Deine Mutter wartet bestimmt schon auf dich." Theresas Kopf auf seinem Schoß. Er spürt ihren immer noch heftigen Atem durch die Pyjamahose. Er spürt ihn auf seinem Oberschenkel.

Theresa hebt ihren Kopf aus seinem Schoß. "Mammi ist zum Friseur", sagt sie, als ob sie Gedanken lesen kann. "Das dauert Stunden. Sie macht sich schön für heute Abend."

Bogdan merkt, dass sein Glied sich zu regen beginnt. Theresa merkt es auch. "Was ist das?" fragt sie und schaut aufmerksam hin. "Ist das...?"

Bogdan spürt, dass er rot wird. "Nichts", murmelt er und versucht sich so hinzusetzen, dass man nichts mehr sieht.

Theresa lacht. Theresa setzt sich wieder ordentlich hin. Sie kramt in ihrer Blusentasche und wühlt einen Kaugummi heraus. "Willst du auch?"

Bogdan will nicht.

"Sie sind zuckerfrei."

"Trotzdem."

Theresa packt den Kaugummi aus und schiebt ihn sich in den Mund. Sie zerknüllt das Papier und wirft es auf den Tisch. Es fällt in Bogdans Kaffeetasse. "Verdammt", sagt Theresa. Sie springt auf und holt es mit den Fingern wieder heraus. Sie legt das Papier auf die Untertasse und leckt sich die Finger ab. Sie lacht ihn an. "OK?" Sie schaut sich stehend im Zimmer um. "Kann ich jetzt mal deine Bücher sehen?"

"Ja natürlich", sagt Bogdan. Er ist froh, dass sich die Sache auf diese Art entspannt. Je weiter sie weg von ihm ist... "Geh hin. Nur zu!"

Theresa steht am Bücherregal. Sie nimmt Bücher in die Hand, sie stellt sie wieder hinein. "Das ist ja alles Geschichte und Politik und so", sagt sie enttäuscht.

"Was hast du erwartet?"

"Weiß nicht." Sie geht in die Hocke und nimmt aus den unteren Fächern Bücher heraus. "Science Fiction finde ich auch blöd", sagt sie. Sie schubst die Bücher ins Regal zurück, als ob sie Schuld daran wären.

Bogdan fragt sich, ob Theresa etwas Bestimmtes sucht. "Was suchst du?" fragt er.

Theresa zuckt die Achseln. Sie zeigt ihm den Rücken.

Sie kommt aus der Hocke hoch. Sie steht wieder auf und reckt sich nach oben. Sie versucht, das oberste Regal zu erreichen. "Da nicht", will Bogdan sagen. Und wenn sie fragt, warum denn nicht, dann will er antworten: "Das ist nichts für kleine Mädchen." Er kommt nicht mehr dazu.

"Du hast ja kein Höschen an!" sagt er entgeistert. Der Rock ist ihr, als sie sich hochgereckt hat, fast über den Po gerutscht. Er sieht einen kleinen, knabenhaften Po. Seine Augen saugen sich daran fest, die senkrechte Linie, die die Backen teilt, die gewellte waagerechte Linie, die die Backen unten festzuhalten scheint. "Himmel", murmelt Bogdan.

Theresa quietscht und lässt die Arme fallen. "Das habe ich ganz vergessen", sagt sie. "Ehrlich. Total." Sie dreht sich zu ihm hin und zieht den Rock nach unten. Sie legt eine Hand schützend auf ihren Schoß. Sie sieht schuldbewusst aus, wie ein Kind, dass Strafe erwartet.

"Du hast vergessen, dein Höschen anzuziehen?" fragt Bogdan mit trockenem Mund.

"Vergessen, dass ich keine angezogen habe", korrigiert ihn Theresa. "Schlimm?" Sie kommt zum Sofa zurück. "Nach dem Duschen hab ich's ganz vergessen." Sie lässt sich neben ihm aufs Sofa fallen. "Das ist doch nicht so schlimm", sagt sie, als ob sie ihn trösten wollte. "Du hast doch auch nichts an."

"Meinen Pyjama", protestiert Bogdan.

"Aber nichts drunter", sagt Theresa und schaut auf seine Hose.

Er traut sich nicht, ihrem Blick zu folgen. Er weiß, was sie sieht. Ihr nackter Po hat sein Glied wie ein Signal hochschnellen lassen: Freie Fahrt!

Theresa grient in sein rotes, verlegenes Gesicht. "So so", sagt sie. "So so. Und meckern, wenn ich nichts drunter anhabe." Dann tut sie als ob sie gähnt. "Müde", sagt sie ins Gähnen hinein. Sie rückt dicht an ihn heran und kuschelt sich an seine Brust

Bogdan fühlt Panik in sich aufsteigen. "Sie ist keine fünfzehn", denkt er. "Sie wird mich ins Gefängnis bringen." Er sieht die Schlagzeilen. "Schriftsteller schändet Tochter der Vermieterin. Unmündig!" Er sieht sich in Ketten. Er sieht sich in gestreifter Sträflingskleidung. Er hört die schweren Schlüssel klappern. "Wir haben dir was ins Essen getan, du Sau. Damit du nicht auf schweinische Gedanken kommst." Ein Blechteller wird durch die Klappe geschoben. "Wer einmal aus dem Blechnapf frisst", denkt Bogdan verzweifelt.

"Sind da oben solche Bücher, wie Mammi eins auf dem Nachttisch hat?" unterbricht Theresa seine Gedanken. "So eins, wo es die Leute miteinander machen?"

Bogdan kommt aus dem Gefängnis zurück. Bogdan hat seine Strafe verbüßt. Er ist geläutert. "Solche Bücher gibt es bei mir nicht", sagt er mit Rechtschaffenheit in der Stimme. Die Glocken der Garnisonskirche beginnen in ihm zu klingen: "Üb immer Treu und Redlichkeit..."

"Es steht aber dein Name drin", sagt Theresa. "Ich schau mal, was du sonst noch hast." Sie will wieder aufspringen, aber er hält sie fest. Er hält sie fest, weil er das Schlimmste verhindern will. Er schlingt seine Arme um sie, damit sie nicht weg kann. Nicht noch einmal diesen Po, der ihn ins Unglück stürzt. Nicht noch einmal dieses winzige weiße Dreieck, da, wo die Bikinihose war. Nicht noch einmal diese braunen Härchen zwischen ihren Schenkeln. Und um Gotteswillen nicht noch einmal dieses Summen im Kopf, das ihn wie ein Dynamo treibt und auf Hochspannung bringt.

"Das ist meine Brust", sagt Theresa. "Gefällt sie dir?"

Seine Arme öffnen sich. Seine Hand fährt zurück.

Theresa nimmt die Hand. "Du kannst ruhig anfassen"", sagt sie. Sie kuschelt sich jetzt eng an ihn. "Ich muss ja jetzt nicht die Bücher sehen." Sie hält ihre Hand über seiner Hand und führt sie über ihrer linken Brust hin und her. Bogdan spürt, wie der Nippel steif wird. "Das kannst du gut", sagt Theresa, und sie betont das U von gut mit einem kleinen gehauchten Seufzer.

Bogdan spürt, dass er fällt. Bogdan sieht das Gefängnistor, weit geöffnet, dahinter die hässlichen roten Gebäude mit den vergitterten Fenstern. Die Wachtürme. Die Hunde. Den Stacheldraht. Und Bogdan weiß, dass es ihm egal ist. Bogdan macht trotzdem einen Versuch. Den letzten, den hoffnungslosen: "Wenn deine Mutter..."

Theresa schlägt als Antwort ein Bein über seine Schenkel und wriggelt sich auf seinen Schoß hinauf. Sie drückt ihre Lippen auf seine Lippen und stößt mit ihrer Zunge gegen seine Zähne. Sein Mund öffnet sich ihrer Zunge, weil er nicht anders kann. Er spürt ihre Zunge, er spürt dann, dass sie ihm etwas in den Mund schiebt, es ist weich gekaut, es schmeckt nach Pfefferminz.

Ihre Küsse lassen seine Hand weiter nach unten gleiten. Ihre Küsse bringen seinen Finger über Kräuselhaar hinweg in eine nasse kleine Spalte. Ihre Küsse lassen seinen Finger über ihren Kitzler streicheln. Ihre Küsse enden mit einem kleinen Schrei und noch einem und noch einem.

Er hört sich selber schreien.

"Weshalb ich zu dir hoch bin", sagt Theresa an der Tür, "Mammi sagt, ich soll dich zur Feier einladen, weil ich heute sechzehn bin." Sie lacht und geht.

Der Kaugummi ist in Bogdans Mund zurückgeblieben.


18

*ALLES DURCHEINANDER.*


"Wo bin ich?" fragt Bogdan. Die Leute um ihn herum sind jung. Die Mädchen sind so angezogen, dass man sieht, was ihre Körper wert sind. Sie tragen Bikinis und Tangas. Sie bewegen sich so, dass jeder sehen kann, wie vielversprechend sie sind. Sie haben sich die Lippen grellrot geschminkt. Sie lassen beim Reden oft die Zungenspitze über die Lippen zucken. Wenn sie lachen, lassen sie weiße Zähne sehen.

Die jungen Männer tragen Jeans. Manche Jeans sind sehr alt und sehr zerrissen. Man könnte meinen, dass es arme junge Männer sind, die solche Jeans tragen. "Denkste", sagt ein junger Mann neben ihm. "Je zerlumpter, desto mehr bist du wert. Da stehen sie drauf." Er macht mit dem Kopf eine Bewegung nach Norden. "Richtig zerfetzte Jeans sind kaum zu bezahlen. Du kriegst sie in New York in den Boutiquen." Seine Jeans halten sich kaum noch am Körper. Sie sind eine Ansammlung von Löchern und Fetzen.

"Bist du reich?" fragt Bogdan.

"Reich geworden", sagt der junge Mann und lacht. "Ich bin hier auf dem Strich."

"Und die Mädchen?" fragt Bogdan.

"Die Mädchen auch. Hier gehst du entweder auf dem Strich, oder du kannst gleich wieder abhauen."

"Wo bin ich?" fragt Bogdan noch einmal.

"Antigua", sagt der junge Mann. "Antigua, Mann. Wo sonst?"

Bogdan schaut sich um. "Tatsächlich", sagt er. Jetzt erkennt er die Häuser wieder, die am Hafen stehen. Jetzt sieht er, dass die Zuhälter-Pötte noch größer geworden sind, und dass die Kerle, denen sie gehören, noch größere Zigarren rauchen als... "Wo ist Jenny?" fragt er und winkt mit der Hand zu der Kantine hin, in der er damals Jenny...

"Kenn´ ich nicht", sagt der junge Mann. "Nimm mich. Hast du Geld?"

Alle trinken Rum aus Pappbechern. Rum und Orangensaft. "Es muss Donnerstag sein", sagt Bogdan. "Stimmt das? Ist heute Donnerstag?" Am Donnerstag hatten sie damals immer die Regatta. Hinterher gab es Planters Punch aus dem großen Topf. Ein Dollar pro Becher.

"Du weißt eine Menge", sagt der junge Mann. "Du hast bestimmt auch eine Menge Geld."

Bogdan macht einen Schritt aus der Menge heraus. "Warte doch", sagt der junge Mann. "Die Mädchen taugen nichts. Wenn du mit ihnen fertig bist, bist du ganz voll Lippenstift. Und deine Jenny ist längst ein altes Weib. Tot vielleicht. Bestimmt schon tot."

Bogdan hört ihn nicht mehr. Er hat Daniel gesehen. Daniel steht ein paar Meter weiter nahe am Wasser. Neben Daniel steht eine Frau.

"Die kenne ich", sagt Bogdan laut. "Die kenne ich." Er geht auf sie zu: "Daniel!"

"Nanu", sagt Daniel. "Was willst du denn hier? Es ist noch lange nicht Weihnachten."

Auch die Frau dreht sich zu ihm um. Er kennt sie von irgendwo her. Aber wer ist sie? Er hat sie lange nicht gesehen. Sie ist älter geworden, aber weil sie klein und zierlich ist, merkt man das nicht auf den ersten Blick. Sie hat noch immer diese komische Frisur: Einen Hahnenkamm aus lila Haaren. Der Rest ist wegrasiert. "Ob sie kikeriki! macht", denkt Bogdan. Er muss lachen.

"Da gibt es nichts zu lachen", sagt Daniel. "Du bist noch nicht fällig."

"Jetzt im Mai ist es besser", sagt Bogdan. "Weihnachten ist hier zu viel los."

"Es ist aber nicht Mai", sagt die Kleine. Sie fummelt an ihrem lila Kamm. "Es ist September."

Bogdan merkt, dass das Gespräch so nicht weiter kommt. "Ich bin hier", sagt er. "Und damit basta. Du bist hier. Und damit basta. Daniel ist hier und damit..."

"Ich bin überhaupt nicht hier", sagt Daniel. "Wenn ihr mich sehen wollt, müsst ihr schon aufs Boot kommen." Er springt ins Wasser. "Bis gleich", sagt er. "Bis gleich."

Bogdan schaut die kleine Frau an. Er freut sich, dass er sie endlich mal wieder sieht. Er wünscht, er wüsste, wer sie ist. Er schaut sie sich genauer an. Er sieht, dass sie weite weiße Hosen trägt. Weiße Hosen aus einem dünnen Stoff. Plötzlich erinnert er sich. Er erinnert sich an den Tag vor vielen Jahren. Da hat er sie auf der Insel besucht. Wie hieß noch die Insel? La Palma? Da trug sie eine Mini-Hose und deckte den Tisch für die Party. Als sie sich über den Tisch beugte, schaute die Hälfte ihrer Möse heraus. Braun und dick. Sie hatte keinen Platz mehr in dem winzigen Stück Stoff gefunden, das sie im Schritt übrig gelassen hatte. Sie kam Bogdan vor, wie die Hälfte einer behaarten Aprikose. "Ich wünschte, du hättest die kurze Hose an", sagt er. "Die, wo dir die halbe..."

"Ich weiß, was du meinst", sagt die kleine Frau. "Ich habe das damals extra für dich getan. Zum Trost, weil Daniel und..."

"Wie eine halbe Aprikose", unterbricht Bogdan sie. Er will jetzt nicht daran denken. Daniel und Dora.

Vom Hafen her hören sie einen Schrei. Daniel hebt eine Hand aus dem Wasser. Er ist schon fast am Boot. "Die Tibetanerin ist auch da", brüllt er. "Nun kommt doch endlich!"

"Die Tibetanerin", sagt Bogdan enttäuscht. "Bist du immer noch mit ihr zusammen?" Plötzlich weiß er alles.

Die kleine Frau lacht. Sie greift sich ins Haar und spielt mit ihrem Hahnenkamm. Sie kommt auf ihn zu und reckt sich zu ihm hoch. Sie küsst ihn. "Nur weil sie für mich betet", sagt sie. "Und weil sie diese wunderbaren tibetanischen Pornos schreibt. Aber in Wirklichkeit liebe ich dich." Sie nimmt seine Hand. "Vielleicht solltest du auch Pornos schreiben. Erinnerungen. Du bist schon so alt"

"Vielleicht", sagt Bogdan. "Wenn du mich mal zusehen lässt. Du mit deiner Tibetanerin? Lässt du mich zusehen?"

"Klar!" brüllt Daniel vom Wasser her. "Klar, dass sie dich lässt! Du kannst auch mitmachen, wenn du willst!" Er ist dabei, auf das Boot zu steigen. Die Tibetanerin steht an der Reeling. Sie hat den Kopf zurückgelegt. Sie schaut in den Himmel. "Was macht sie da?" fragt Bogdan. "Betet sie für dich?"

"Sie pisst", sagt die kleine Frau. "Sie pinkelt über Bord. Sie ist so ungeheuer gelenkig, weißt du? Ich brauche ein Röhrchen. Sie kann es so."

Bogdan hört das nicht gern. Die Worte klingen ihm wie ein Lob. Trotzdem nickt er. Er will sich den Ärger nicht anmerken lassen. "Fast wie ein Mann", sagt er und nickt mit vorgestülpten Lippen. "Nur ein bißchen zu breit der Strahl."

"Man kann nicht alles haben", sagt die kleine Frau. "Dafür haben wir Frauen ein tieferes Gefühlsleben. Nun komm schon an Bord."

\*\*\*

"Wo bin ich?" fragt Bogdan. Es ist dunkel. Er sieht nichts. "Du hast die Decke überm Kopf", sagt eine Stimme. Das ist Daniel. "Wenn Du die Decke runtertust, dann weißt du, wo du bist. Du bist an Bord."

"Ach so", sagt Bogdan. Er überlegt, ob er die Decke abdecken soll. "Eigentlich ist es doch ganz gemütlich", sagt er leise. Er hört neben sich ein Rauschen. Er erkennt es wieder: Das Meer rauscht am Schiffsrumpf vorbei. "Wir werden bald auf Sal ankommen", denkt er. "Es wird Zeit, dass ich eine Peilung mache."

Sal. An einem Morgen läuft Bogdans Boot in die Bucht ein. Hinten am Steg neben dem rostigen kleinen Kran stehen sie und schauen zu, ob er alles richtig macht. Sie schauen zu, wie er erst die Genua herunternimmt und dann das Großsegel. Sie schauen zu, wie er langsam mit der Baumfock auf den Strand zufährt, bis sein Tiefenmesser gerade noch fünf Meter zeigt. Sie beobachten ihn, wie er in den Wind geht, in den Wind, der vom Meer her sehr leicht weht und den Anker fallen lässt und dreißig Meter Kette gibt. Sie stehen auch noch da, als er mit der Maschine im Rückwärtsgang den Anker eingegraben hat. Dann löst sich ein kleines Boot vom Steg. Zwei Männer sitzen drin. Sie rudern auf ihn zu.

Beide kommen an Bord. Sie fragen ihn nicht um Erlaubnis. Sie kommen einfach an Bord. Beide tun so, als ob sie etwas Offizielles sind: Beamte vom Zoll. Der eine ist fast weiß mit negroiden Zügen und rotem krausen Haar. Der andere hat fast blauschwarze Haut. Der mit den roten krausen Haaren lässt sich von Bogdan den Pass zeigen und tut, als ob er ihn liest. Bogdan merkt, dass er nicht lesen kann, denn er dreht den Pass hin und her und blättert unschlüssig in ihm herum. Der Blauschwarze hat die Schiffspapiere in der Hand: "Was wollen Sie hier?"

Bogdan ist auf dem Weg über den Atlantik. Er ist mit seinem Boot allein unterwegs. Er will hier eine Pause machen, um sich ein paar Tage auszuruhen. Sal ist eine der Kapverdischen Inseln. Von hier aus sind es dann noch einmal an die drei Wochen bis Barbados. "Frischen Fisch essen", sagt er zu dem Mann. "Ein paar Bier trinken. Ich lade Sie ein."

Die Männer sprechen ein verballhorntes Portugiesisch. Sie nennen es Creol. Bogdan kann sich zur Not mit ihnen verständigen. Dann müssen sie aber langsam reden.

"Es gibt gutes Bier", sagt der Blauschwarze, der der so tut, als ob er seine Schiffspapiere überprüft. Der Rotkrause, der seinen Pass in der Hand hält, sagt: "Guten Fisch gibt es auch. Langusten." Er gibt Bogdan den Pass zurück. Der andere legt die Schiffspapiere auf den Tisch: "In Ordnung."

"Na dann", sagt Bogdan. "Dann gehen wir an Land." Er steht auf, und die Männer stehen auf. "Ich nehme mein Dinghi", sagt Bogdan. Die Männer nicken und halten die Hände auf. Bogdan tut etwas hinein.

Der Ort ist eine Ansammlung von ein paar Dutzend erdbraunen Hütten. Die ganze Bevölkerung des Dorfes, so scheint es, hat ihre Hütten verlassen und sich am Steg versammelt. Uralte Frauen sind dabei. Jüngere Frauen mit aufgetriebenen, schwangeren Bäuchen. Ein paar Männer. Es gibt viele Kinder. Sie schreien und springen ins Wasser, als Bogdan anlegen will. Sie versuchen ihn nass zu spritzen, die beiden Offiziellen schreien Befehle und wedeln mit den Armen. Die Kinder kümmern sich nicht darum. Bogdan hat Mühe, aus dem Dinghi heraus und auf den Steg zu kommen.

"Da ist die Bar", sagt einer der Männer. Er zeigt auf eine Hütte in der Nähe der Anlegestelle. Die Wände sind aus Bambus. Fürs Dach haben sie alte Ölfässer und Wellblech genommen.

"Ok", sagt Bogdan. Er geht auf die Hütte zu. Die beiden Männer sind dicht hinter ihm. Sie werfen triumphierende Blicke um sich. Sie spreizen sich voller Stolz und sagen Wörter, die Bogdan nicht versteht. "Estranjeiro" hört er ein paar Male. Das versteht er. Es heißt: "Fremder." Die Männer folgen ihm. Der Rest des Dorfes folgt den beiden Männern. Die Frauen halten respektvollen Abstand. Die Kinder rennen schreiend um den ganzen Pulk herum. Sie stoßen und schubsen sich dabei. Sie versuchen, sich gegenseitig auf Bogdan zu stoßen. Der Schwarzblaue brüllt Befehle. Der Rotkrause fuchtelt mit den Armen. Die Kinder kümmern sich nicht darum. Sie lachen und sie kreischen.

Sie stehen vor der Bar. Die beiden Männer machen Bogdan mit Handbewegungen klar, dass er zuerst hineingehen soll. Alle anderen wiederholen die Handbewegungen. Bogdan wird von Hunderten von Handbewegungen in die Bar hinein gewedelt. Bogdan geht hinein und sagt: "Bom dia."

"Bom dia", sagt das Mädchen hinter der Theke.

Bogdan bestellt Bier für sich und für die beiden Männer. Sie trinken es aus der Flasche, Gläser gibt es nicht. Vor der Hütte tobt der Lärm. Die Dorfbevölkerung hat die Hütte umringt. Hin und wieder schlägt etwas dumpf gegen die Wand der Hütte. "Die Kinder", sagt einer der Männer. Er macht eine wegwerfende Bewegung und spuckt auf den Lehmboden der Hütte.

"Die Kinder", sagt das Mädchen. "Sie sind wild." Sie lacht ihn an. "Wild", sagt sie noch einmal. "Salvagem."

Der Rotkrause zeigt mit der Flasche auf das Mädchen hinter der Theke. "Sie heißt Alma", sagt er. "Wie heißt du?" Das Bier hat sie verbrüdert.

"Bogdan", sagt Bogdan.

Alma schaut ihn aufmerksam an. "Wie?" Sie schaut auf seine Lippen, als er den Namen noch einmal wiederholt und versucht es dann selbst: "Boguedan", sagt Alma langsam. Sie macht sich an der Theke zu schaffen. Sie nimmt ein Tuch und wischt sie ab. Hin und wieder schaut sie hoch und schaut ihn an. Sie lächelt: "Boguedan."

Bogdan lächelt zurück. "Alma."

Alma hat ein indisches Gesicht. Die Vermischung aus fünf Jahrhunderten, seit die Portugiesen die Inseln kolonisiert haben, hat ihr indische Züge zugeteilt. Sie hat eine gerade Nase, schmal. Sie hat große schwarze Augen, die sie sich mit Kohle noch größer gemalt hat.

"Gefällt sie dir?" fragt der Blauschwarze. Er schaut ihn an. Der andere schaut auch. Hinter der Theke schaut Alma.

Die direkte Frage macht Bogdan verlegen. Er antwortet nicht sofort. "Du kannst auch andere heiraten", sagt einer der Männer. "Wenn dir eine gefällt, kannst du sie heiraten."

Alma hat den Kopf gesenkt. Sie schaut nicht mehr zu ihm hinüber. Sie ist enttäuscht, das kann er daran sehen, wie lustlos sie jetzt an der Theke herumwischt. "Sie gefällt mir", sagt Bogdan zu den Männern in zögerndem Portugiesisch. "Sie gefällt mir sehr." Alma blickt hoch. Sie lächelt wieder. Bogdan lächelt zurück. Ihre Hand wischt hurtig auf der Theke hin und her.

"Lass uns noch woanders ein Bier trinken gehen", sagt einer der Männer. Sie haben ihre Flaschen leer getrunken. "Wir müssen dir die anderen Bars noch zeigen."

"Ich möchte noch bleiben", sagt Bogdan. Er ist tief in Almas Augen getaucht. Alma lässt ihn darin baden.

"Wir kommen später wieder zurück", sagt einer der Männer. Sie machen mit dem Kopf Bewegungen zur Tür hin.

"Na dann", sagt Bogdan. Er legt etwas Geld auf die Theke und seine Hand wartet bis Almas Hand das Geld nimmt. Die Hände berühren sich, und Alma wird rot. "Bis nachher", sagt Bogdan.

"Até logo, Boguedan", sagt Alma.

Sie bahnen sich einen Weg durch die Menge. Sie gehen zur nächsten Bar. Dort verkauft ein Mann ihnen das Bier. Er ist wütend darüber, dass vor der Hütte der Lärm immer größer wird. Er steckt seinen Kopf nach draußen und brüllt etwas in die Menge. Die Leute lachen. "Hast du die beiden Frauen gesehen, die uns entgegengekommen sind?" fragt der Blauschwarze. "Hast du die Zwillinge gesehen?"

Bogdan nickt.

"Weißt du, was sie dich gefragt haben?"

Bogdan hat es nicht verstanden. "Was haben sie gesagt?"

"Ob du sie heiraten willst", sagt der Rotkrause und lacht. Er hält einen Finger auf ein Nasenloch und schneuzt sich auf den Boden. "Ob du sie heiraten willst", sagt er noch einmal.

"Alle beide?" fragt Bogdan erstaunt.

"So viele, wie du willst", sagt der Blauschwarze. "Du kannst sie hier alle heiraten."

"Ich möchte Alma", sagt Bogdan. "Wenn überhaupt, dann Alma."

Der Blauschwarze schaut ihn aufmerksam an. "Warum nicht?" sagt er dann. "Was gibst du uns dafür?"

"Ich weiß nicht", sagt Bogdan. Die Idee gefällt ihm nicht besonders. "Dann möchte ich vielleicht doch lieber nicht."

Beide Männer blicken ihn an. "Warum nicht?" fragt der Rotkrause verständnislos. "Hast du kein Geld?"

"Ich zahle nicht für Frauen", sagt Bogdan. "Ich habe noch nie für Frauen gezahlt." Er weiß, dass das nicht stimmt. Er weiß, dass er lügt. Wenn er darüber nachdenkt, kommt er zu dem Schluss, dass er immer gezahlt hat. Er will jetzt nicht darüber nachdenken. Nicht hier auf Sal. Nicht hier auf dieser Insel. Hier will er wer sein. Nicht einer, der zahlt.

Der Rotkrause lacht. "Hier ist das aber anders", sagt er. "Hier zahlst du."

"Ich bin ihr Bruder", sagt der Blauschwarze. "Sie tut nichts, ohne meine Erlaubnis. Ich sage ihr, was sie tun soll. Sie tut, was ich ihr sage."

"Deine Schwester?" sagt Bogdan. "Alma ist deine Schwester?" Er kann keine Ähnlichkeit entdecken.

"Ja", sagt der Blauschwarze. "Aber es gibt auch andere, wenn du das lieber magst. Die Zwillinge..."

"Sind die auch deine Schwestern?"

"Nicht seine. Meine", sagt der Rotkrause. "Und sie werden dir Freude machen. Ich habe sie ausprobiert."

Der Blauschwarze lacht. "Ich auch", sagt er. "Meine Cousinen."

Bogdan gibt sich einen Ruck. "Ich zahle kein Geld für Frauen", sagt er noch einmal..

Die beiden Männer sind verwirrt. Ihre Blicke verraten, dass sie nach einem Ausweg suchen. Sie gehen ein ein paar Schritte zurück und beraten. Sie flüstern sich Fragen und Antworten ins Ohr. Dann kommen sie zurück. "Hör zu", sagt der Rotkrause. "Wir geben nichts ab von dem Geld. Wir behalten es für uns. Gib uns einfach was. Dann bekommst du die Frau doch umsonst. Ok?"

"Wie viel?" fragt Bogdan erleichtert. Er freut sich. Beharrlichkeit hat ihn zum Sieg geführt. Alma wird ihn um seiner selbst willen wollen.

"Zehn Dollar", sagt der Blauschwarze.

Bogdan greift in seine Hosentasche. Zu schnell.

"Für jeden von uns", sagt der Rotkrause.

***

Alma hat sich schön gemacht. Sie trägt im Haar bunte Lockenwickler, sie hat ein rotes Kleid angezogen. Bogdan steht vor ihr an der Theke. Sie lächelt ihn an. "Boguedan", sagt sie.

Er nimmt die Flasche Bier, die er bestellt hat, aus ihrer Hand und setzt sich auf eine Bank rechts von der Theke. Der Blauschwarze und der Rotkrause sitzen ihm gegenüber an der anderen Wand. Er hat ihnen auch Bier gekauft. Sie beobachten ihn. Sie schauen zu, wie er trinkt, wie er die Flasche an die Lippen nimmt und wie er sie wieder absetzt. Sie machen ihm das nach, bis ihre Flaschen leer sind. "Willst du noch in eine andere Bar gehen?" fragt der Blauschwarze.

Bogdan schüttelt den Kopf. Er schaut zu Alma hinüber. Er ahnt ihren Körper unter dem roten Kleid, er ahnt, dass Alma einen schönen Körper hat. Alma ist schlank. Alma ist jung. Bogdan schätzt sie auf achtzehn Jahre. Als sie sich umdreht und gebückt in den niedrigen Verschlag geht, in dem die Küche ist, sieht er, dass Alma barfuß ist. Sieht er, dass sie schlanke, braune Beine hat. Sieht er, dass sich unter dem Kleid ein Slip abzeichnet: Schwarz. Er fragt sich, wo Alma in diesem gottverlassenen Nest auf dieser Insel vor Afrika einen schwarzen winzigen Slip herbekommen hat. Bringen die Händler aus Dakar solche Sachen mit?

"Komm", sagen die Männer.

Bogdan schüttelt den Kopf. Er will in keine andere Bar gehen. Er will in der Nähe von Alma bleiben. Bei Alma, die sich schön gemacht hat. Für ihn?

"Wir kommen wieder zurück", sagt der Rotkrause. "Sie muss sowieso noch lange arbeiten, bis die Bar zumacht. Du kannst doch nicht die ganze Zeit hier sitzen. Sie muss arbeiten. Sie muss Geld verdienen. Wenn du schon kein Geld für Frauen zahlst."

"Ich kann" sagt Bogdan."Ich kann sehr wohl hier sitzen bleiben."

"Du kannst", sagt der Rotkrause geduldig. "Aber du wirst dich langweilen. Komm mit." Er steht auf, und der Blauschwarze steht ebenfalls auf. Beide machen mit den Armen eine Geste zur Tür hin.

Bogdan will nicht unhöflich sein. Bogdan seufzt. Er blickt zu Alma hinüber und versucht bedauernd auszusehen. Alma lächelt ihn an.

Die andere Bar. Bogdan tritt gebückt durch eine niedrige Öffnung in eine Hütte. Die Hütte besteht nur aus einem einzigen Raum. In der Mitte auf dem Boden steht eine Kinkade-Lampe und macht grelles Licht. An den Wänden hocken Frauen. Eine uralte Frau blinzelt zu ihm hin. Sie sagt etwas, das er nicht versteht.

"Grogue", fordert der Rotkrause. "Grogue", sagt der Schwarzblaue. Grogue, das heißt Schnaps in ihrer Sprache.

Bogdan schaut sich in der Hütte um. Er sieht, dass es außer ihnen keine anderen Männer gibt. Eine Frau versteht seinen Rundblick als

Aufforderung. Sie erhebt sich aus der Hocke und kommt auf ihn zu. Sie sagt etwas und fasst nach seinen Händen. Bogdan zieht die Hände zurück. Bogdan versteht sie nicht. Die Frau lacht. Sie ist jung, sie ist dick.

"Ob sie für dich tanzen soll", sagt Rotkrause. Der andere sagt etwas zu der Frau. Er fragt sie etwas. Sie antwortet. Er lacht. "Baila", sagt er. "Tanze!"

Die Frauen an den Wänden beginnen zu singen. Sie klatschen in die Hände. Die Tänzerin trägt einen langen Rock aus dickem Stoff. Der Rock ist dunkelgrau. Er erinnert Bogdan an Kartoffelsäcke. Die Frau ist barfuß. Alle Frauen sind barfuß. Sie tanzt.

"Setz dich." Die Männer haben sich auf den Boden gehockt. Sie machen Bogdan Zeichen. Die alte Frau hat eine Flasche unter einem Haufen Lumpen hervorgeholt. Sie hat sie ihnen hinübergereicht. "Grogue", sagt der Blauschwarze. Sie trinken aus der Flasche und bieten Bogdan die Flasche an. Bogdan zögert. "Trink", sagt der Rotkrause. Bogdan überlegt, ob er die Flasche abwischen soll. Die beiden Männer beobachten ihn. Bogdan setzt die Flasche an die Lippen. Bogdan trinkt.

Der Schnaps brennt in seiner Kehle. Er schätzt, dass sie ihn aus Kaktusfeigen gebrannt haben. Er hofft, dass er nicht blind davon wird.

Sie spüren den Geruch der tanzenden Frau. Er dringt ihnen in die Nase. Die Frau schwitzt. Sie hat ihnen ihren Hintern zugewandt und wedelt ihn vor ihnen hin und her. Der Blauschwarze greift nach dem Hintern der Tänzerin. Er packt durch den Kartoffelsack hindurch eine ihrer Backen. Die Tänzerin kreischt und lacht. Die Frauen kreischen und lachen. Die Alte kreischt, aber sie lacht nicht. "Gib Geld", sagt der Rotkrause zu Bogdan. "Fünf Dollar. Gib."

Bogdan wühlt in seiner Tasche. Er findet nur einen Zehn-Dollarschein. "In Ordnung", sagt der Rotkrause. "In Ordnung." Er nimmt Bogdan den Schein aus der Hand und zerknüllt ihn. Er streckt die Hand mit dem zerknüllten Schein zu der Alten hin. Die Hand der Alten krallt den Schein aus seiner Hand.

Die Alte schreit in den Raum hinein. Bogdan sieht, wie die Tänzerin ihren Rock greift und sich nach vorne beugt. Bogdan starrt auf einen fetten schwarzen nackten Arsch. Bogdan sieht, dass die anderen Frauen aufgestanden sind. Bogdan sieht, dass sie die Röcke heben. Sie singen und sie tanzen, und Arsch um Arsch zieht an ihnen vorbei. An ihnen vorbei in der Höhe ihrer Köpfe. Arsch um Arsch nach hinten gereckt, schreiende Frauen, stampfende Füße. Dann drehen sie sich um und heben ihre Röcke vorne hoch und führen ihnen breitbeinig stampfend ihre Bäuche und Mösen vor. "Wenn du eine willst", sagt der Rotkrause zu Bogdan. Er streckt eine Hand aus und macht mit dem Mittelfinger einen Haken. Er greift in eine Frau hinein und zieht sie zu sich heran. "Willst du die?" Er zieht seinen Finger aus der Frau heraus und wischt ihn an seiner Hose ab. "Nimm sie", sagt er. "Irgendeine".

"Casa de putas", sagt der Blauschwarze neben ihm. "Das ist ein Puff." Er hat seinen Mund dicht an Bogdans Ohr. "Such dir eine aus."

"Alma", sagt Bogdan. Er steht auf. Vom  Geruch der tanzenden Frauen ist ihm schwindelig. Er hat Mühe, aus der Hütte an die Luft zu kommen. Die beiden Männer bleiben.

Alma lächelt, als er zu ihr kommt. Alma lässt ihn tief in ihre Augen blicken über die anderen hinweg. Sie fühlt nach, ob die Lockenwickler richtig sitzen, einen muss sie nachdrehen. Sie lässt ihn spüren, dass sie das alles für ihn tut. Sie lächelt ihn an, und unter dem gehobenen Arm sieht er ihr Achselhaar. Alma bückt sich und holt eine Flasche Bier aus dem Regal. Sie nickt ihm zu. Er drängt sich durch die Menschen hindurch und kommt zu ihr an die Theke. Er nimmt die Flasche. Ihre Hände berühren sich. "Muito obrigado", sagt Bogdan. "Dankeschön."

"Boguedan", sagt Alma.

Bogdan sitzt in einer Ecke der Hütte. Er weiß nicht, wie lange er da sitzt. Die Bar ist plötzlich leer. Niemand ist mehr da. Auch Alma ist verschwunden. Auf der Theke brennt eine Petroleumlampe. vorher hatte sie an der Wand gehangen. "Alma?" sagt Bogdan. "Alma?"

Er hört ein Geräusch. Es kommt vom Küchenverschlag. "Boguedan", sagt Alma. "Ich bin hier." Sie kommt aus dem Verschlag heraus und schaut ihn an. "Komm doch", sagt sie. "Ich bin gleich fertig."

Bogdan steht auf. Er folgt Alma in die Küche zurück. Er bückt sich tief und und folgt ihr. Ihm wird bewusst, dass er hinter ihr her geht wie ein Hund, die Nase fast an ihrem Hintern. Er ahnt die Konturen ihres schwarzen Höschens, das Verlangen hinzufassen ist zu stark, ihr Geruch betäubt ihn. Er greift mit beiden Händen um ihre Hüften. Er will etwas sagen, aber was er sagt, klingt wie ein Stöhnen.

Sie fallen fast in den Küchenverschlag. Sie können sich nicht aufrichten, er ist nicht mehr als anderthalb Meter hoch, darüber ein Wellblechdach mit Spinnweben. Die Höhle riecht nach altem, verbratenem Fett. Bogdan bleibt gebückt hinter Alma stehen, er schiebt seinen Oberkörper über sie, er presst sich gegen sie. Wieder kommt er sich vor wie ein Hund, wieder will er etwas sagen, wieder kommt nur ein Stöhnen. Er tastet mit einer Hand nach unten, bis er den Rocksaum findet. Er schiebt den Rock nach oben über Almas Hintern hinweg, über Almas Slip hinweg. "Nicht hier", sagt Alma.

In dieser absurden gebückten Stellung, den Rock halb über den Rücken, Bogdans Hände an ihrem Slip, beginnt sie, am Propankocher zu hantieren. Sie nimmt eine Pfanne vom Kocher, sie legt sie in eine große rostige Blechschüssel. Wasser spritzt.

In dieser absurden gebückten Stellung, den Rock halb über den Rücken und jetzt Bogdans gierige Finger auf der Suche nach dem Eingang, gelingt es ihm einen Finger in sein heißes, dampfendes Ziel zu bringen.

Alma bäumt sich auf unter seinem Finger, Alma stößt fast mit dem Kopf gegen das Wellblechdach. Alma seufzt. Aber sie räumt im-

166

mer noch auf. Sie nimmt einen Lappen aus der rostigen Schüssel und wischt den Herd.

In dieser absurden, gebückten Stellung macht Bogdan seine Hose auf, versucht sein Glied in Alma zu schieben. Alma wringt den Lappen aus und legt ihn beiseite. "Nicht hier", sagt Alma noch einmal. Sie wischt sich die Hände am Rock ab. Sie versucht, sich umzuwenden.

"Wir können auf mein Boot gehen", sagt Bogdan dringlich, aber Alma hat Angst vor Wasser. "Wir gehen zu mir", sagt sie. "Na casa minha." Sie kniet neben dem Kocher und neben der Schüssel nieder und Bogdan kniet neben ihr.

Während Alma die Pfanne abtrocknet, versucht er sie zu küssen. "Nicht hier", sagt Alma in seinen Mund hinein, aber plötzlich lässt sie doch die Pfanne los und dreht sich zu ihm hin. Ihre Arme umfassen seinen Rücken, er spürt noch die Nässe ihrer Hände durch sein T-Shirt hindurch, er riecht den Geruch der Pfanne, den Geruch von Abwaschwasser neben sich. Dann knien sie beide nicht mehr, Alma liegt auf dem Boden, Bogdan liegt auf Alma, seine Füße stoßen gegen die Wand. Seine Hände umfassen Almas Hintern, den harten Lehmboden spüren seine Hände nicht.

Alma beginnt hechelnd zu atmen, Alma greift mit einer Hand in seinen Mund, als sie kommt, er beißt hart auf ihre Finger, sie schreit. Erst später schmeckt er das Fett der Pfanne im Mund.

"Ich bin nicht achtzehn", sagt Alma als sie ihn zum Anlegesteg begleitet. Sie schwenkt ihren kleinen schwarzen Slip in der Hand wie eine Handtasche. Sie lacht. "Ich bin vierundzwanzig." Sie schenkt ihm einen ihrer Lockenwickler, einen grünen. "Schenk mir auch was", sagt sie.

"Was?"

Sie schaut ihn eine Weile schweigend an. "Gar nichts", sagt sie dann. Sie will nicht mit ihm über den Atlantik fahren, sie hat Angst. Sie lässt ihn die kleine Wunde an ihrem Finger küssen, den Biss, den seine Zähne dort zurückgelassen haben, und sie verschließt ihm, als er murmelnd um Verzeihung bittet, mit ihrem kleinen schwarzen Slip den Mund. Bogdan stöhnt in den Duft hinein, dass er verrückt nach ihr ist, "louco, louco, louco!"

"Gib mir den Slip", sagt Bogdan. Er holt aus der Hosentasche, was er an Geld darin findet und stopft es ihr in die Hand.

"Obrigada!" sagt Alma glücklich. Sie winkt ihm nach, bis er mit seinem Dinghi in der Dunkelheit verschwunden ist.

"Sie hat sieben Kinder", sagt einer der Männer am nächsten Tag. Sie sind gekommen, um ihm auf Wiedersehen zu sagen. "Jetzt hat sie vielleicht bald acht."

Sie sehen den Slip auf der Koje und lachen. Sie lassen sich noch einmal zehn Dollar von ihm geben. "Bom viagem", sagen sie zum Abschied. "Gute Reise."

***

"Wenn du die Decke vom Kopf ziehst, kannst du sehen, wo du bist", sagt Daniel.

"Ich will aber nicht", sagt Bogdan. "Ich will nicht sehen, wo ich bin."

"Quatsch", sagt Daniel. "Das denkst du nur." Er packt ihn an der Schulter. "Steh auf und geh ans Ruder."

Bogdan beschließt zurückzukommen. Bogdan schiebt die Decke zurück und steht auf. Bogdan übernimmt das Ruder. Von seinem Platz aus kann er in die Kabine blicken. Er kann sehen, dass die kleine Frau ihren Kopf zwischen den Schenkeln der Tibetanerin hat. Er sieht ihren hoch aufgerichteten Hintern, jetzt sieht er beide Hälften der haarigen Aprikose, und fast bedauert er es ein wenig, dass er am Ruder sitzen muss, während Daniel... immer wieder Daniel...

Er sieht, wie Daniel sich bedächtig die Hose auszieht und ihm dabei zuzwinkert. "Having fun, son."

Er sieht, wie Daniel sich die Hände reibt, als ob es da jetzt etwas Schönes zu essen gäbe. Bogdan ist fast froh, dass das Boot in diesem Augenblick mit dem Wal kollidiert. Es stört ihn nicht einmal, dass er über Bord geht. Das Wasser kühlt ihn und er hört sich sagen: "Gut. Es ist gut." Und er hört sich rufen: "Aber Daniel soll auch ersaufen!"

## 19

*DIE AUSREISE.*

"Du warst völlig durchgeschwitzt", sagt Dora. "Aber jetzt ist das Fieber weg."

Er spürt ihre Hand auf seiner Stirn. Ihre Hand ist kühl. Doras Hand ist kühl und gut. Er richtet sich auf. Neben dem Bett liegen Handtücher auf dem Boden. "Das Fieber ist weg", sagt Dora noch einmal.

"Ich habe..." sagt er. Er stockt und weiß nicht weiter.

Dora vollendet den Satz. "Phantasiert", sagt sie. "Du hast geträumt, Bogdan, geträumt. Das Fieber, Bogdan."

"Ich weiß nicht", sagt er. "Habe ich das? Habe ich das wirklich?" Er überlegt. Warum ist das alles schon hundertmal gewesen? Und das hier auch?

Dora blickt ihn an und nickt: "Du hast geträumt." Dora sieht gut aus. Sie sieht aus, als ob sie gerade aus dem Urlaub kommt.

"Daniel hat angerufen", sagt Dora. "Er wollte wissen, ob..."

Er unterbricht sie. "...ob ich noch schlafe?"

"Ob du noch schläfst?" Dora schaut ihn an. "Warum sagst du das? Ich verstehe das nicht." Sie lacht.

"Nur so", sagt Bogdan. "Nur so." Er sieht ihre Hand auf sich zukommen. "Ich habe kein Fieber", sagt er. Er ergreift ihre Hand.

"Ts-ts", macht Dora und zieht sie weg. "...ob wir mitkommen

wollen", beendet sie dann den Satz. "Drachensteigen auf den Rhein-wiesen. Jetzt gleich, weil der Wind so schön ist. Aber ich habe ge-sagt, du musst dich erholen."

"Gehst du ohne mich mit ihm?"

"Ich bleibe hier bei dir", sagt Dora. "Dein Vater kann das auch al-lein. Krystina wird ihm helfen."

"Krystina."

"Sie macht sich Sorgen um dich. Wie eine gute Mutter."

"Mutter?"

"Stiefmutter", verbessert sich Dora. Sie lächelt ihn an. "Schlaf noch ein bisschen. Träum was Schönes." Sie beugt sich zu ihm hin-ab. Sie küsst ihn auf die Stirn und ist wieder oben, bevor er auch nur versuchen kann, sie zu küssen."Hörst du? Träum was Schönes."

Er legt sich zurück. Er schließt die Augen. Er ... träumt:

Die Frau neben ihm atmet leise, und mit jedem Heben und Sen-ken ihrer Brust unter dem dünnen Laken kommt ein kleiner Schwall Wärme zu ihm hinüber, fächelt an seinem Gesicht vorbei und füllt seine Nase mit schlaftrunkenem Duft. Mit dem Duft, der dann am Tag vergangen sein wird, unauffindbar hinter Seife und Parfum, hin-ter Creme und Kleid, Lippensalbe und Haarfestiger. Hinter leeren Ge-sten und Worten.

Der Duft der Frau macht ihn traurig. Er ist traurig, dass sie gelernt hat, ihn vor ihm zu verstecken. Er ist traurig, dass sie so nett ge-worden sind, so nett zueinander. Es macht ihn verrückt.

Inhalt:

HARALD KÖRKE ist sein Leben lang in der Welt unterwegs. Als Eisenbahner und Fabrikarbeiter in Australien, als Student in Barcelona, als Farmer auf den Kanaren. Er arbeitet heute als Satiriker, Wirtschaftskolumnist, Sachbuch-Autor. Im konkursbuch Verlag erscheinen seine literarischen Arbeiten.

## Noch ein verdammter Tag im Paradies

Erzählungen, 244 Seiten, gebunden, mit einer fotografischen Einleitung 8.Auflage 2002

Der Traum vom „Aussteigen". Von der „Großen Liebe" in der Ferne... Die Geschichten spielen auf einer Kanarischen Insel...

„Körkes Geschichten vom Aussteigen sind kleine, manchmal chaplineske, aber nie ins pur Lächerliche gehende Balladen über einen Haufen von Mißverständnissen und Desillusionierungen... Stellenweise erinnern seine Erzählungen in ihrer distanzierten Üppigkeit an die frühen Geschichten von Márquez. Aber er schreibt schlichter, in einem fast schüchternen ganz auf die Attributkanone und überzogene Bilder verzichtenden Stil...

Die Inselbewohner etwa haben nichts anderes im Sinn, als so schnell wie möglich in jene Plastikwelt zu gelangen, vor der die Aussteiger geflüchtet sind. Das „einfache Leben" ist nur mühsam. Liebesgeschichten auf 2500 km Distanz, flüchtig am Strand oder im komplizierten Dreier... Soviel wir auch lachen können bei der Lektüre, mit Schadenfreude bedient er uns nicht. Körkes Figuren bleiben bei aller Absurdität immer auch liebenswert, transparent in ihren Hoffnungen, Melancholien und Marotten. Der Autor macht uns immer wieder klar, daß auch wir es sein könnten, die den Trip ins authentische wahre Leben wagten, daß wir diese Alkoholiker, überkandidelten Sekretärinnen und herzneurotischen Architekten sind..." (Matthias Horx, Die Zeit)

## Die Sprache des Steins

Erzählungen, 224 Seiten, gebunden, mit einigen Bildern.

In diesen erotischen Geschichten aus aller Welt - sie spielen auf La Palma, auf den Atlantik, auf griechischen Inseln oder in Düsseldorf - beschreibt Körke die seltsamen, rührend-komischen Irrwege von Urlaubs- und anderen flüchtigen Lieben...

### Austernbucht

Roman, 160 Seiten, gebunden

Fünf Frauen hat es auf eine tropische Insel verschlagen. Sie haben sich unter den Fischerjungen ihre Liebhaber gesucht - und sind unzufrieden mit ihrer rüden Art. Bis Babilon kommt, Babilon, ein Mann in ihrem Alter, mit seinem Sohn Beatus. Babilon soll das alles ändern. Nicht nur macht er die Runde unter den Frauen. Sie bringen ihn auch dazu, seine Erfahrung als Liebhaber in eine Fortbildungsschule für perfekte männliche Sexobjekte einzubringen...

### Beutels Fiesta

Roman, 320 Seiten, gebunden

Die Geschichte eines katastrophalen Hausbaus. Eine Kavalkade von Charakteren, die aus einem fröhlichen Alptraum stammen könnten.

„Zwei Welten stoßen aufeinander. Wie er die Arroganz der neuen Reichen aufs Korn nimmt, verfolgt der Leser hoch amüsiert." (Brigitte)

### Lust und Liebe auf Papaya

Erzählungen, 240 Seiten, gebunden

Es geht um das sympathische Scheitern von Beziehungen und seltsame Abwege der Lust. Und wieder spielt die Insel - es könnte La Palma sein, aber auch jede andere Insel der Welt - eine große Rolle.

„Ein liebevoller und amüsierter Beobachter menschlichen Alltags, der in der Komik immer das Schreckliche ahnt und umgekehrt" (Deutschlandfunk)

„... Witzige literarisch exzellent geschriebene Kurzgeschichten." (Die Zeit)

© Konkursbuchverlag Claudia Gehrke, 2002.
Postfach 1609 – 72006 Tübingen
Telefon 07071/66551 – Telefax 07071/63539
email: office@konkursbuch.com
internet: www.konkursbuch.com
*Alle Rechte vorbehalten.*

Titel: Unter Verwendung eines Fotos von Udo O. Rabsch
Vorsatz: Unter Verwendung eines Fotos von Hael Yggs

Herstellung: TZ-Verlag-Rossdorf GmbH.
*ISBN 3-88769-194-6*